INGLÊS
PASSO A PASSO

INGLÊS
PASSO A PASSO

Charles Berlitz

Charles Berlitz, lingüista mundialmente famoso e autor de mais de 100 livros de ensino de línguas, é neto do fundador das Escolas Berlitz. Desde 1967, o Sr. Berlitz não está vinculado, de nenhuma maneira, às Escolas Berlitz.

Martins Fontes
São Paulo 2000

*Esta obra foi publicada originalmente
nos Estados Unidos da América com o título INGLÉS Paso a Paso.
Copyright © 1990, 1985 by Charles Berlitz.
Copyright © Livraria Martins Fontes Editora Ltda.,
São Paulo, 1994, para a presente edição.*

*A edição brasileira da série Passo a Passo
foi coordenada por Monica Stahel.*

1ª edição
julho de 1994
2ª edição
novembro de 1995
5ª tiragem
fevereiro de 2000

Tradução
ÉLIDE MASTENA

Revisão da tradução
Monica Stahel
Revisão gráfica
*Marise Simões Leal
Fábio Maximiliano Alberti*
Produção gráfica
Geraldo Alves
Capa
Katia H. Terasaka

**Dados Internacionais de Catalogação na Publicação (CIP)
(Câmara Brasileira do Livro, SP, Brasil)**

Berlitz, Charles
 Inglês Passo a Passo / Charles Berlitz ; [tradução Élide Mastena ; revisão da tradução Monica Stahel]. – São Paulo : Martins Fontes, 1994.

 ISBN 85-336-0454-8

 1. Inglês – Estudo e ensino 2. Inglês – Gramática 3. Inglês – Livros-texto para estrangeiros – Português I. Título. II. Série.

94-2178   CDD-428.2469

Índices para catálogo sistemático:
1. Inglês : Livros-texto para estrangeiros :
Português   428.2469

Todos os direitos para a língua portuguesa reservados à
Livraria Martins Fontes Editora Ltda.
*Rua Conselheiro Ramalho, 330/340
01325-000 São Paulo SP Brasil
Tel. (11) 239-3677 Fax (11) 3105-6867
e-mail: info@martinsfontes.com
http://www.martinsfontes.com*

SUMÁRIO

PREFÁCIO — IX

COMO PRONUNCIAR O INGLÊS — XI

PASSO 1: CONVERSAÇÃO: NUM CAFÉ — 3
Cumprimentos e despedidas — *a* e *one* — *this* e *that* — nem masculino, nem feminino — o imperativo — o verbo *to be* — o *it* — abreviando formas verbais.

PASSO 2: LUGARES E MEIOS DE TRANSPORTE NUMA CIDADE — 8
CONVERSAÇÃO: UMA CORRIDA DE TÁXI — 12
Pronunciando o *h* — pronunciando *is* e *it's* — *no* e *not* — o *s* inicial — o artigo *the* — expressões de cortesia

PASSO 3: OS VERBOS (TEMPO PRESENTE) — 16
CONVERSAÇÃO: NUM ESCRITÓRIO — 23
O verbo *to be* no presente — os possessivos — o presente de outros verbos — perguntas com *do* — a forma negativa: *do not* — *How do you do?* — a terminação *-ly* — *to do* = "fazer" — possessivo com *'s* — pronomes objetivos — omitindo o *that* — mais contrações

PASSO 4: OS NÚMEROS E COMO USÁ-LOS — 28
CONVERSAÇÃO: NUMA UNIVERSIDADE — 35
Os números — ao telefone — os ordinais — endereços — dizendo as horas — a terminação *-tion* — imperativo com cortesia — inversão do verbo *to be* — nome e sobrenome — áreas de estudo — *very* — "conhecer" e "saber"

PASSO 5: VOCABULÁRIO: ESCRITÓRIO, CASA, LAZER — 41
CONVERSAÇÃO: UM CONVITE PARA IR AO CINEMA — 48
O plural sem *s* — a terminação *-ing* — *somebody, nobody* — "a casa" — *large* e *small* — *something, anything, nothing* — o sujeito indeterminado com *they* — expressões idiomáticas com *to be* — economizando palavras — *why, because* — o tratamento *you*

PASSO 6: O ALFABETO INGLÊS   52
CORRESPONDÊNCIA: CARTAS, CARTÕES POSTAIS, SOLICITAÇÃO DE EMPREGO   57
O comparativo dos adjetivos — letras mudas — sons parecidos — *in, out* — *do* para respostas curtas

PASSO 7: GRAUS DE PARENTESCO E PROFISSÕES   62
CONVERSAÇÃO: NUMA FESTA   68
Membros da família — o verbo *to get* — a terminação *-ion* — *a* e *an* — o verbo *to play* — omissão do *the* — a terminação *-ty* — a terminação *-er* — *to come, to enter* — "falar", "conversar"

PASSO 8: DIAS, MESES, ESTAÇÕES E O TEMPO   74
CONVERSAÇÃO: COMENTANDO O TEMPO   79
Maiúscula ou minúscula — os números ordinais nas datas — cumprimentos especiais — mudanças de tempo — *color* ou *colour* — *evening* e *night*

PASSO 9: VERBOS BÁSICOS, REVISÃO DOS PRONOMES COMO COMPLEMENTOS, O IMPERATIVO   84
CONVERSAÇÃO: DANDO ORDENS   91
Do not e *don't* — mais uma omissão do *the* — *to watch* e *to look* — *propaganda* e *advertising* — *to listen* e *to hear* — pronomes como objeto direto e indireto — mais expressões idiomáticas com *to be* — o infinitivo substituindo o subjuntivo — *to have to*

PASSO 10: USO DE VERBOS AUXILIARES REFERENTES A POSSIBILIDADE, NECESSIDADE E DESEJO   98
CONVERSAÇÃO: VIAJANDO DE AVIÃO   102
One = "se" — *can* e *must* — "dever" e "querer" — *should* e *ought to* — no posto de gasolina — *can* e *may* — *to go* com gerúndio — frases para quem viaja de avião

PASSO 11: VERBOS PRONOMINAIS E VERBOS COM PREPOSIÇÕES — COMEÇANDO O DIA   109
CONVERSAÇÃO: A CAMINHO DA REUNIÃO DE NEGÓCIOS   113
Preposições com verbos — como traduzir o "se" reflexivo — palavras de origem latina

PASSO 12: PREFERÊNCIAS E COMPARAÇÕES 118
CONVERSAÇÃO: COMPRAS 124
Cores — graus dos advérbios — *isn't he?, does she?*: buscando confirmação — grau dos adjetivos — o imperativo com *let* — a voz passiva — vocabulário das compras — o presente contínuo expressando futuro

PASSO 13: COMO FORMAR O TEMPO FUTURO 134
CONVERSAÇÃO: PLANEJANDO UMA VIAGEM AOS ESTADOS UNIDOS 140
To come e *to go* — omissão do *that* — usos de *will* — relembrando as datas — *will, shall*

PASSO 14: NO SUPERMERCADO 146
CONVERSAÇÃO: NO RESTAURANTE 152
Pick out e *pick up* — *to take care* — *soft* e *hard* — algumas interjeições — a mesma palavra para os dois gêneros — chamando o garçom — *to do* para dar ênfase

PASSO 15: O TEMPO PASSADO 160
CONVERSAÇÃO: NO AVIÃO 167
O passado de *to be* — interrogações e negações no passado — verbos que formam o passado com *-ed* — passado de verbos irregulares — *college* e *university* — *to turn* com preposições — mais preposições com *to go*

PASSO 16: USOS DO PARTICÍPIO PASSADO 174
CONVERSAÇÃO: NO ESCRITÓRIO 182
English spoken — posição dos adjetivos — o possessivo — o pretérito perfeito — verbos irregulares no infinitivo, passado, particípio passado — o auxiliar para confirmar ou enfatizar — inglês britânico e americano

PASSO 17: USO DE AUXILIARES PARA CONVIDAR, PEDIR PERMISSÃO OU INFORMAÇÃO E PARA REPETIR O QUE FOI DITO 191
CONVERSAÇÃO: CONVITE PARA UMA PARTIDA DE BEISEBOL 198
Os verbos auxiliares e a cortesia — *may* e *can* — *to want* e *to wish* — *may* e *might* — abreviaturas — esportes — infinitivo abreviado

PASSO 18: EMPREGOS E NEGÓCIOS 203
CONVERSAÇÃO: UMA ENTREVISTA PARA UM EMPREGO 206
Palavras terminadas em -*ary* — palavras reconhecíveis — *question* e *to question*

PASSO 19: O MAIS-QUE-PERFEITO: RELATANDO FATOS 213
NARRAÇÃO: UMA SOMBRA NA JANELA 216
The past perfect — *just* para indicar tempo — *dinner* e *diner* — emergências

PASSO 20: O FUTURO PERFEITO — RESUMO DOS TEMPOS VERBAIS 221
CONVERSAÇÃO: O PROGRESSO DA CIÊNCIA 224
Future perfect — resumo dos tempos verbais

PASSO 21: CONDIÇÕES E SUPOSIÇÕES 228
CONVERSAÇÃO: O QUE VOCÊ FARIA SE GANHASSE NA LOTERIA? 233
Suposições sobre condições possíveis — Condições impossíveis ou remotamente possíveis — *used to* = hábito passado — *used to* = "estar acostumado a" ou "acostumar-se a" — o gerúndio

PASSO 22: LENDO EM INGLÊS 239
Correspondência de negócios — Expressões idiomáticas ou idiotismos

VOCÊ SABE MAIS INGLÊS DO QUE IMAGINA 245

VOCABULÁRIO PORTUGUÊS-INGLÊS 246

PREFÁCIO

Inglês Passo a Passo distingue-se nitidamente de outras obras destinadas a ensinar ou recordar o idioma inglês.

Este livro será um guia valioso para o seu aprendizado do inglês, passo a passo, desde o seu primeiro contato com o idioma até a conversação avançada. Você aprenderá a se exprimir corretamente no inglês coloquial, sem necessidade de explicações extensas e complicadas. A partir da primeira página você irá se deparar com um material de conversação de aplicação imediata.

Esta obra atinge plenamente seus objetivos pela sua maneira lógica e peculiar de apresentar o idioma, através da abordagem "passo a passo". Cada construção, cada uso verbal, cada expressão do idioma inglês, os mais diversos tipos de situações e emoções da vida cotidiana, tudo isto é apresentado em modelos de conversação concisos e fáceis de serem seguidos.

Os diálogos, além de interessantes, irão fixar-se facilmente em sua memória, pois baseiam-se em palavras imediatamente utilizáveis na comunicação com pessoas de língua inglesa.

Se você for principiante, ficará surpreso com a facilidade com que aprenderá a falar o inglês de maneira a ser entendido por ingleses e americanos. Se você já conhece um pouco do idioma, perceberá que este livro desenvolverá sua compreensão, sua fluência, sua habilidade para incorporar novas palavras a seu vocabulário e, principalmente, sua confiança para expressar-se em inglês.

Este livro foi organizado em 22 "passos", que irão levá-lo do simples pedido de um café até a habilidade de compreender e construir uma narrativa que envolva um vocabulário mais extenso e tempos verbais complexos. Ao longo do caminho, você aprenderá a iniciar diálogos, contar fatos, pedir informações, usar adequadamente frases de cumprimento e agradecimento, tornando-se apto a participar das mais diversas situações da vida cotidiana dos países de língua inglesa. Simultaneamente você absorverá um vocabulário de milhares de palavras, o uso das várias formas verbais e de uma infinidade de expressões idiomáticas.

Ao longo dos textos, são introduzidas de maneira simples e gradual, sem sobrecarregá-lo, as explicações necessárias para que você possa incorporar os novos conhecimentos e continuar avançando. No final de cada "passo" você encontrará uma parte de aplicação prática, constituída quase sempre por um trecho de conversação que, além de fixar os conceitos aprendidos, mostra hábitos e formas de expressão das pessoas de língua inglesa.

Ao final do livro você descobrirá que, passo a passo, e com prazer, aprendeu a falar e entender o idioma inglês.

COMO PRONUNCIAR O INGLÊS

Todas as frases nas lições e diálogos deste livro estão escritas em três linhas consecutivas. A primeira linha está em inglês, a segunda indica como se deve pronunciá-la e a terceira é a tradução para o português. Para pronunciar bem o inglês, você deve ler a segunda linha como se fosse português, isto é, dando às letras a pronúncia do nosso idioma. Foram usados alguns sinais especiais, dos quais falaremos abaixo, mas que não atrapalharão em nada sua leitura. Seu objetivo é fazer você se aproximar mais de alguns sons específicos ao inglês.
Veja um exemplo:

Hello! How are you?
Hélou! Hau a:r iu:?
Olá! Como vai?

Fine, thank you. And you?
Fáin, thænk iu:. Aend iu:?
Bem, obrigado, e você?

Seguem-se algumas observações que você deverá ter em mente ao longo do seu curso:

1. Serão utilizados três símbolos especiais para facilitar a sua leitura da pronúncia:

: Em inglês, há vogais curtas e longas. Para que você saiba quando

XI

pronunciá-las longas, usaremos [:] após a vogal. Note a diferença nos seguintes exemplos:

fit / **fit** (pronuncie i)   feet / **fi:t** (pronuncie i + i)
doctor / **dóktâr** (pronuncie ó)   door / **do:r** (pronuncie o + o)
book / **buk** (pronuncie u)   boot / **bu:t** (pronuncie u + u)

â   O som indicado por [â] em nossa transcrição fonética é o som vocálico de maior incidência na língua inglesa, e em geral representa uma sílaba átona. Seu som é semelhante ao do "a" final de "casa", "para", "manteiga", etc.

Exemplos: ago / **âgou** (**gou** é a sílaba tônica)
           April / **êiprâl** (**ei** é a sílaba tônica)
           but / **bât** (monossílabo tônico)

æ   O sinal [æ] em nossa transcrição representará um som intermediário entre o "e" e o "a" do português, produzido com a boca bem aberta.

2. O som de cada uma das vogais, em inglês, nem sempre é o mesmo. Ele varia segundo sua posição dentro das palavras ou por outras razões.

— A vogal *e* é freqüentemente pronunciada como o "i" em português, porém mais longo. Este som será então representado por [i:]. Veja um exemplo:
week / **uí:k**

— A vogal *i* pode soar como "ai" ou como "i". Note a diferença nos exemplos:

       life / **laif**   live / **liv**

— O *o* se pronuncia como "ó", como "ou" e, às vezes, como "u". Note a diferença:
not / **nót**   so / **sou**   do / **du:**

3. Há alguns sons do inglês que não são encontrados no português mas cuja pronúncia nós representaremos sem recorrer a símbolos especiais. Veja os principais:

— O *w* é pronunciado como um "u", mas tem um som bem curto. Assim que começa a ser articulado, a língua e os lábios já tomam posição para a vogal que o segue. Exercite-se com o exemplo:
way / **uei**

— O *h* tem um som aspirado, como se soltássemos ar ao reproduzir o "r" do português. Em algumas palavras o *h* é mudo. Note a diferença nos exemplos:
   house / **haus**   honor / **ónâr**

— O *j* geralmente é pronunciado como "dj". Treine com os exemplos:
   June / **dju:n**   jungle / **dj'ângâl**

— O *th* em inglês pode ter um som surdo, assemelhando-se a um "cê" pronunciado por quem tem língua presa. Pode também ser mais sonoro, assemelhando-se a um "d" pronunciado entre os dentes. Sua pronúncia será indicada respectivamente por [th] e [dh]. Veja a diferença:
   month / **mânth**   those / **dhouz**

— O som do *g* precedido de *n* quase não se distingue; apenas se retrai a língua, mas sem articulá-lo completamente. Para lembrá-lo de sua pronúncia usaremos [(g)]. Treine com os exemplos:
   making / **mêikin(g)**   Washington / **Uóchin(g)tân**

— O *r* em inglês tem um som característico. É como se fosse o "r" fraco, de "praia", articulado com a língua enrolada. Tenha sua pronúncia sempre em mente, pois ela não receberá indicação especial. Treine:
   sir / **sâr**   very / **véri**   group / **gru:p**

4. Em inglês não existem acentos. Na transcrição da pronúncia usaremos os acentos do português para indicar o som das vogais e a sílaba tônica, quando houver possibilidade de confusão. Quando não for possível usar acento, como nos casos dos sinais especiais [æ] e [â], usaremos o sinal ['] antes da sílaba tônica para indicá-la. Observe:
   after / **'âftâr**   mother / **'mâdhâr**

5. Não estranhe se você encontrar uma mesma palavra pronunciada de maneiras diferentes. Em inglês, como em todos os idiomas, a pronúncia de uma mesma palavra pode variar conforme sua localização, a inflexão da frase em que ela está inserida, etc. Assim, você poderá encontrar, por exemplo:
   you / **iú**   television / **télâvijân**   for / **fo:r**
   you / **iu:**   television / **telâvíjân**   for / **fâr**

Seguindo as instruções de uso deste livro e tendo sempre presentes as observações acima, você poderá, desde o início, fazer-se entender em inglês. E, evidentemente, com a prática você irá melhorar sua pronúncia cada vez mais.

Good luck!
Gud lâk!
Boa sorte!

INGLÊS
PASSO A PASSO

passo 1 CONVERSAÇÃO: NUM CAFÉ

Os pequenos trechos de conversação que se seguem podem ser ouvidos diariamente, em qualquer país onde se fale inglês. Leia a segunda linha, a linha da pronúncia, seguindo as instruções do capítulo "Como pronunciar o inglês" da página XIII. O resultado será um inglês perfeitamente compreensível para as pessoas com quem você estiver falando.

— Good morning, sir.
 Gud mórnin(g), sâr.
 Bom dia, senhor.

— Good morning.
 Gud mórnin(g).
 Bom dia.

— A table for one, please.
 Â têibâl fâr uân, pli:z.
 Uma mesa para uma pessoa, por favor.

> **A e one**
> *A é o artigo indefinido correspondente a "um" e "uma". Para indicar o número, a quantidade, usa-se* one *para "um" e "uma".*

— Certainly, sir. This way please.
 Sârtânli, sâr. Dhis uei pli:z.
 Pois não. Por aqui, por favor.

— Here you are, sir. This table is free.
Hiâr iu: a:r, sâr. Dhis têibâl iz fri:.
Aqui está, senhor. Esta mesa está livre.

— Thank you. This is fine.
Thænk iu:. Dhis iz fáin.
Obrigado. Está ótimo.

> **This — that**
> This *corresponde a "este", "esta", "isto", e that é equivalente a "esse", "essa", "isso" ou "aquele", "aquela", "aquilo". Ou seja, usamos* this *para o que está próximo e* that *para o que está afastado de nós.*

— A black coffee, please, and toast.
Â blæk kófi, pli:z, ænd toust.
Por favor, um café preto e torradas.

— Right away, sir.
Rait âuei, sâr.
Imediatamente, senhor.

> *Nem masculino, nem feminino*
> *Em inglês, os nomes de objetos não têm gênero. O mesmo ocorre com os adjetivos que os acompanham:*
>
> a good coffee = *um bom café*
> a good table = *uma boa mesa*

— Hi, Robert. How are you today?
Hai, Róbârt. Hau a:r iu: tudei?
Oi, Roberto. Como você está hoje?

— Very well, thank you. And you?
Véri uél thænk iu:. Ænd iú:?
Bem, obrigado. E você?

— O.K. thanks. Sit down here for a moment.
Ou kei, thænks. Sit dáun híâr fâr â moumânt.
Bem, obrigado. Sente-se aqui um momento.

— With much pleasure.
Uidh mâtch pléjâr.
Com muito prazer.

— Excuse me, sir. Is that all?
Ekskiúzmi, sâr. Iz dhæt ól?
Desculpe, senhor. É só isso?

— No. Please, bring another coffee for my friend.
Nou. Pli:z, brin(g) â'nâdher kófi fâr mai frénd.
Não. Por favor, traga mais um café para o meu amigo.

> *O imperativo é fácil*
> *Para se darem ordens, usa-se simplesmente a forma básica do verbo, tal como se encontra no dicionário:*
>
> *sentar(-se)* = (to) sit down
> *Sente-se!* = Sit down!
>
> *trazer* = (to) bring
> *Traga!* = Bring!

— The coffee here is very good, isn't it?
Dhâ kófi híâr iz véri gud, ízântit?
O café daqui é muito bom, não é?

— Yes, it's not bad.
Iés, its nót bæd.
Sim, não é mau.

— Waiter! The bill, please.
Uêitâr! Dhâ bil, pli:z.
Garçom! A conta, por favor.

— Here it is, sir.
Híâr it iz, sâr.
Aqui está, senhor.

É e está
"É" e "está" têm a forma is *em inglês, exceto quando se referem a* you *("você"). Neste caso a forma verbal é* are.

— Thank you for the coffee, Henry.
Thænk iu: fâr dhâ kófi, Hênri.
Obrigado pelo café, Henry.

— You're welcome. It's a pleasure. Goodbye.
Iuâr uélkâm. Its â pléjâr. Gudbai.
De nada. É um prazer. Até logo.

— So long.
Sou lón(g).
Até logo.

A importância do it
O pronome it *é usado para designar coisas ou idéias e, às vezes, animais. Geralmente, quando as pessoas falam de seu animal de estimação, usam* he *quando ele é macho e* she *quando é fêmea. Note que o* it *é essencial, em inglês, em expressões que, traduzidas para o português, aparecem sem pronome:*

Is it good? = *É bom? / Está bom?*
Yes, it's good. = *Sim, é bom. / Sim, está bom.*

Contrações
Para abreviar as formas verbais, usa-se o apóstrofo, indicando a eliminação das vogais.

is not — isn't
it is — it's
you are — you're

No inglês falado, geralmente só se usam as formas contractas. Por isso é importante fixá-las desde o início.

TESTE SEU INGLÊS

Coloque ao lado da frase em português o número da frase em inglês correspondente a ela. Cada resposta correta vale 10 pontos. As respostas estão no fim da página, de cabeça para baixo.

1. This way.
2. This is fine.
3. With much pleasure.
4. Right away.
5. Here it is.
6. You're welcome.
7. See you later.
8. Excuse me.
9. The bill, please.
10. This table is free.

A. ____ Imediatamente.
B. ____ A conta, por favor.
C. ____ Até logo.
D. ____ De nada.
E. ____ Desculpe-me.
F. ____ Este está ótimo.
G. ____ Por aqui.
H. ____ Esta mesa está livre.
I. ____ Aqui está.
J. ____ Com muito prazer.

Respostas: A4, B9, C7, D6, E8, F2, G1, H10, I5, J3.

Resultado: _____ %

passo 2 — LUGARES E MEIOS DE TRANSPORTE NUMA CIDADE

A hotel, a restaurant, a theater, a bank.
Â hâtél, â réstrânt, â thíâtâr, â baenk.
Um hotel, um restaurante, um teatro, um banco.

Is this a restaurant?
Iz dhis â réstrânt?
Este é um restaurante?

Yes, it's a restaurant.
Iés, its â réstrânt.
Sim, é um restaurante.

> *Pronunciando o h*
> *Lembre-se de que na maioria dos casos, em inglês, o h é aspirado. Pronuncie-o como se estivesse soltando ar a partir da garganta.*

Is this a theater?
Iz dhis â thíâtâr?
Este é um teatro?

No, it is not.
Nou, it iz nót.
Não, não é.

Is it a hotel?
Iz it â hâtél?
É um hotel?

Pronunciando is *e* it's
Note que is *soa [iz], mas a contração* it's *soa [its].*

No, it isn't.
Nou, it 'izânt.
Não, não é.

No *e* not
Para se responder a uma pergunta como "sim" ou "não", usa-se yes *e* no. *Mas para a forma negativa do verbo usa-se* not.

He is not Mr. Jones.
Ele não é o Sr. Jones.

Pode-se também usar a forma abreviada.

He isn't here.
Ele não está aqui.

What is it?
Uót iz it?
O que é?

It's a bank.
Its â bænk.
É um banco.

A car, a taxi, a bus.
Â ka:r, â 'tæksi, â bâs.
Um carro, um táxi, um ônibus.

Is this a taxi?
Iz dhis â 'tæksi?
Este é um táxi?

Yes, it's a taxi.
Iés, its â 'tæksi.
Sim, é um táxi.

A movie theater, a store, a museum.
Â múvi thíâtâr, â sto:r, â miuzíâm.
Um cinema, uma loja, um museu.

Is this a store? Yes, it's a store.
Iz dhis â sto:r? Iés, its â sto:r.
Esta é uma loja? Sim, é uma loja.

Is this a museum? No, it's not a museum.
Iz dhis â miuzíâm? Nou, its nót â miuzíâm.
Este é um museu? Não, não é um museu.

It's a movie theater.
Its â múvi thíâtâr.
É um cinema.

A street, an avenue, a statue.
Â stri:t, ân 'ævâniu:, a s'tætiu.
Uma rua, uma avenida, uma estátua.

What street is this?
Uót stri:t iz dhis?
Que rua é essa?

It's Fifth Avenue.
Its Fifth 'Ævâniu.
É a Quinta Avenida.

What statue is that?
Uót s'tætiu iz dhæt?
Que estátua é aquela?

It's the Statue of Liberty.
Its dhâ S'tætiu âv Líbârti.
É a Estátua da Liberdade.

> *O s inicial*
> Nas palavras que começam com s, como street e statue, tenha cuidado para não pronunciar um i inicial. Treine bastante: street *[stri:t]*, statue *[s'tætiu]*.

Is this the bus to the airport?
Iz dhis dhâ bâs tâ dhi éârpârt?
Este é o ônibus para o aeroporto?

Yes, it is.
Iés, it iz.
Sim, é.

CONVERSAÇÃO: UMA CORRIDA DE TÁXI

— Taxi, are you free?
'Tæksi, a:r iu: fri:?
Táxi, está livre?

— Yes, sir. Where are you going?
Iés, sâr. Uéâr a:r iu: gôuin(g)?
Sim, senhor. Onde o senhor vai?

— To the Hotel Washington. Is it far?
Tu dhâ Hâtél Uóchin(g)tân. Iz it fa:r?
Ao Hotel Washington. Fica longe?

— No, sir. It is not far. It's near.
Nou, sâr. It iz nót fa:r. Its níâr.
Não, senhor. Não é longe. É perto.

— Excuse me. Where is the Hotel Mayflower?
Ekskiúzmi. Uéâr iz dhâ Hâtél Meifláuâr?
Desculpe. Onde fica o Hotel Mayflower?

— Over there, on the left.
Ôuvâr dhéâr, on dhâ léft.
Ali, à esquerda.

— Is it a good hotel?
Iz it â gud hâtél?
É um bom hotel?

— Yes, sir. It's very good... and very expensive.
Iés, sâr. Its véri gud... ænd véri ekspênsiv.
Sim, senhor. É muito bom... e muito caro.

12

Uma palavra em inglês — quatro em português
O artigo the *pode ser traduzido por "o", "a", "os", "as". Também a forma plural dos adjetivos não existe em inglês:*

    The big house = *A casa grande*
    The big houses = *As casas grandes*

Você deve ter notado que os adjetivos costumam preceder o substantivo a que se referem.

— Where is the National Museum?
Uéâr iz dhâ 'Næshânâl Miuzíâm?
Onde é o Museu Nacional?

— At the end of this street, on the right.
Æt dhi end âv dhis stri:t, ón thâ rait.
No final desta rua, à direita.

— There it is. That big building on the other side of the street.
Dhéâr it iz. Dhæt big bíldin(g) ón dhi 'âdhâr said âv dhâ stri:t.
Lá está. Aquele prédio grande do outro lado da rua.

— Here we are, sir. This is the Hotel Washington.
Híâr uí a:r, sâr. Dhis iz dhâ Hâtél Uóchin(g)tân.
Aqui estamos, senhor. Este é o Hotel Washington.

— Very good. Thank you.
Véri gud. Thænk iu:.
Muito bem. Obrigado.

— How much is it?
Hau mâtch iz it?
Quanto é?

— Four dollars.
Fo:r dólarz.
Quatro dólares.

— Let's see. One, two, three, four... and five.
Léts si:. Uân, tu:, thri:, fo:r... ænd faiv.
Deixe-me ver. Um, dois, três, quatro... e cinco.

— Thank you very much, sir.
Thaenk iu: véri mâtch, sâr.
Muito obrigado, senhor.

— You're welcome.
Iuâr uélkâm.
De nada.

> *Expressões de cortesia*
> *As palavras* gentleman — *"cavalheiro" ou "senhor" — e* lady — *"dama" ou "senhora" — não se usam como tratamento. São usadas as formas* sir *para homens,* madam *ou* ma'am *para senhoras e* miss *para senhoritas. Em conversações formais, chamam-se as pessoas por* Mr. *[místâr],* Mrs. *[míssiz],* Miss *[mis], seguidos do sobrenome.*
>
> *"De nada" ou "não há de quê" podem ser expressos principalmente como* Not at all — *mais usado na Inglaterra —,* You're welcome — *mais usado nos EUA — ou* Don't mention it.
>
> Welcome, *também, significa "bem-vindo!"*
>
> Welcome to the United States!
> *Bem-vindo aos Estados Unidos!*

TESTE SEU INGLÊS

Verta as frases seguintes para o inglês e depois compare a sua tradução com as respostas dadas no final da página, de cabeça para baixo. Conte 10 pontos para cada frase correta.

1. Onde você vai? _____

2. Não é longe. _____

3. Onde fica o Museu Nacional? _____

4. É muito caro. _____

5. É ali. _____

6. É um bom hotel? _____

7. Este é um cinema. _____

8. Quanto é? _____

9. Fica perto. _____

10. Desculpe. Que rua é esta? _____

Respostas: 1. Where are you going? 2. It's not far. 3. Where is the National Museum? 4. It's very expensive. 5. There it is. 6. Is it a good hotel? 7. This is a movie theater. 8. How much is it? 9. It's near. 10. Excuse me. What street is this?

Resultado: _____ %

passo 3 OS VERBOS (TEMPO PRESENTE)

Examples of the verb *to be*:
Ig'zæmpâlz âv dhâ vârb tu bi:
Exemplos do verbo ser ou estar:

What country are you from?
Uót 'kântri a:r iu: fróm?
De que país você é?

We are from different countries.
Uía:r fróm dífrânt 'kântriz.
Nós somos de países diferentes.

I am from Cuba and my wife is from Spain.
Ai æm fróm Kiúbâ ænd mai uaif iz fróm Spein.
Eu sou de Cuba e minha esposa é da Espanha.

Is Mr. Vargas Cuban too?
Iz Místâr Vargas Kiúbân tu:?
O Sr. Vargas também é cubano?

"Ser" e "estar" = **to be**

I am	*eu sou/estou*
you are	*você é/está, vocês são/estão*
he, she, it is	*ele, ela é/está*
we are	*nós somos/estamos*
they are	*eles são/estão*

Os pronomes não podem ser omitidos, como fazemos freqüentemente em português:

Sou brasileira = I am Brazilian

(O pronome I *é sempre escrito com maiúscula.)*
O pronome it *é neutro e se emprega quando o gênero não é especificado.*

No, he is Mexican.
Nou, hi iz Méksikân.
Não, ele é mexicano.

Who is the lady who is with him?
Hu iz thâ lêidi hu iz uidh him?
Quem é a senhora que está com ele?

She is his wife. She is English.
Chi iz his uaif. Chi iz Ínglich.
Ela é sua esposa. Ela é inglesa.

Who are those people?
Hu a:r dhouz pi:pâl?
Quem são aquelas pessoas?

They are Mr. and Mrs. Wilson.
Dhei a:r Místâr ænd Míssiz Uílsân.
São o sr. e a sra. Wilson.

They are Americans. They are from California.
Dhei a:r Âmérikânz. Dhei a:r fróm Kâlifórniâ.
Eles são americanos. Eles são da Califórnia.

Are those their children?
A:r dhouz dhéâr tchíldrân?
Aqueles são seus filhos?

The tall child is their son.
Dhâ tó:l tchaild iz dhéâr sân.
A criança alta é filho deles.

The other children are his friends.
Dhi 'âdhâr tchíldrân a:r hiz fréndz.
As outras crianças são amigos dele.

O possessivo
Os adjetivos possessivos não variam em gênero e número. Veja:

my	*meu/minha/meus/minhas*
your	*seu/sua/seus/suas (de você/de vocês)*
his	*seu/sua/seus/suas (dele)*
her	*seu/sua/seus/suas (dela)*
our	*nosso/nossa/nossos/nossas*
their	*seu/sua/seus/suas (deles/delas)*

The verb *to speak*.
Dhâ vârb tu spi:k.
O verbo falar.

Do you speak English, madam?
Du iu: spi:k Ínglich, 'mædâm?
A senhora fala inglês?

Yes. I speak English.
Iés. Ai spi:k Ínglich.
Sim. Eu falo inglês.

Does your husband speak English too?
Dâz io:r 'hâsbând spi:k Ínglich tu:?
O seu marido também fala inglês?

Yes, he speaks English and French also.
Iés, hi spi:ks Ínglich ænd Fréntch ólsou.
Sim, ele fala inglês e francês também.

Simplicidade nas flexões verbais
Conjugar um verbo em inglês é muito mais fácil que em português. Para se formar o presente do indicativo usa-se a forma infinitiva — to speak, por exemplo — sem o to, e a única mudança que teremos é para a terceira pessoa (he, she, it), à qual se acrescenta um s:

I speak	*eu falo*
you speak	*você fala/vocês falam*

he, she, it speaks   *ele, ela fala*
we speak   *nós falamos*
they speak   *eles, elas falam*

Há exceções como o verbo to be *(que já vimos antes), o verbo* to have *(he, she, it has) e outros que veremos adiante.*

Perguntas com do
Para se fazerem perguntas, usa-se does *para a terceira pessoa e* do *para as demais. Com o verbo* to be *o auxiliar* do, does *não é usado:*
(Am I? Are you? Is he? *etc.*)

My father and mother speak only Portuguese.
Mai fádhâr ænd 'mâdhâr spi:k ônli Pó:rtugui:z.
Meu pai e minha mãe falam apenas português.

They do not speak English.
Dhei du nót spi:k Ínglich.
Eles não falam inglês.

Does your daughter speak English?
Dâz io:r dótâr spi:k Ínglich?
A sua filha fala inglês?

No, she does not speak it yet.
Nou, chi dâz nót spi:k it iét.
Não, ela não o fala ainda.

We do not speak English at home.
Uí du nót spi:k Ínglich ât houm.
Nós não falamos inglês em casa.

A forma negativa **do not**
O negativo do tempo presente para os verbos em geral se forma com do not *(ou* does not, *para a 3.ª pessoa do singular) antes do verbo.*
Há exceções, como o verbo to be, *cuja forma negativa se obtém acrescentando apenas o* not *(I am not). O verbo* to have *admite as duas formas.*

Examples of other verbs:
Ig'zæmpâlz âv âdhâr vârbz:
Exemplos de outros verbos:

Mrs. Blanco, this is my friend Gordon Baker.
Míssiz Blanco, dhis iz mai frénd Gó:rdân Bêikâr.
Senhora Blanco, este é o meu amigo Gordon Baker.

Mrs. Blanco comes from Venezuela.
Míssiz Blanco kâmz fróm Vânâzuélâ.
A Sra. Blanco é da Venezuela.

How do you do, Mr. Baker?
Hau du iu: du:, Místâr Bêikâr?
Como vai, Sr. Baker?

I am happy to meet you, Mrs. Blanco.
Ai æm 'hæpi tu mi:t iu:, Míssiz Blanco.
Tenho prazer em conhecê-la, Sra. Blanco.

> *Frase de cortesia*
> *Embora a tradução literal de* How do you do *seja "Como vai você", essa expressão é usada para se responder a uma apresentação.*

Welcome to New York.
Uélcâm tu Niú Iórk.
Bem-vindo a Nova York.

Is this your first visit here?
Iz dhis io:r fârst vízit híâr?
É a primeira vez que vem aqui?

No, my husband comes here frequently on business
Nou, mai 'hâsbând kâmz híâr frí:kuentli ón bíznis
Não, meu marido vem aqui freqüentemente a negócios

and I usually come too.
ænd ai iújuali kâm tu:.
e eu geralmente também venho.

Do you like New York?
Du iu: laik Niú Iórk?
A senhora gosta de Nova York?

> *Um sufixo útil para o seu vocabulário*
> *A terminação* ly *equivale à forma "-mente" dos advérbios portugueses. Assim, muitos deles são fáceis de ser reconhecidos:*
>
> | | |
> |---|---|
> | rapidly | *rapidamente* |
> | generally | *geralmente* |
> | usually | *usualmente* |
> | possibly | *possivelmente* |
> | frequently | *freqüentemente* |
> | naturally | *naturalmente* |
> | directly | *diretamente* |
> | legally | *legalmente* |
> | correctly | *corretamente* |
> | absolutely | *absolutamente* |

I like it very much.
Ai laik it véri mâtch.
Eu gosto muito daqui.

The shops are beautiful.
Dhâ chóps a:r biútiful.
As lojas são lindas.

And there are so many things to do.
Aend dhéâr a:r sou méni thin(g)z tu du:.
E há tantas coisas para se fazer.

> **To do = *"fazer"***
> *Além de ser usado para formar negativas e interrogativas, o verbo* to do *tem o sentido básico de "fazer". Por isso pode aparecer duas vezes numa frase:*
>
> What does he do? = *O que ele faz?*
> Do you do it? = *Você faz (isso)?*

Note que to do *e* to go *têm a terceira pessoa do presente do indicativo terminada em* es *e não simplesmente em* s.

he does = *ele faz*
she goes = *ela vai*

Do you often go to department stores?
Du iu: ófân gou tu depá:rtmânt sto:rz?
A senhora vai com freqüência a lojas de departamentos?

Certainly! I like to buy a lot of things there.
'Sârtânli! Ai laik tâ bai â lódâv thin(g)z dhéâr.
Certamente! Eu gosto de comprar muitas coisas lá.

But my husband does not like to go shopping.
Bât mai 'hâsbând dâz nót laik tu gou chópin(g).
Mas o meu marido não gosta de fazer compras.

Naturally. Men generally don't like
'Nætchurâli. Mén djénârâli dónt laik
Naturalmente. Os homens geralmente não gostam

to go shopping in department stores,
tu gou chópin(g) in depá:rtmânt sto:rz,
de fazer compras em lojas de departamentos,

especially in expensive ones.
spéchiali in ekspênsiv uânz.
especialmente nas caras.

CONVERSAÇÃO: NUM ESCRITÓRIO

MR. MARTIN:
Místâr Má:rtin:
Sr. Martin:
    Good morning. Is this Mr. Hart's office?
    Gud mó:rnin(g). Iz dhis Místâr Ha:rts ófis?
    Bom dia. Este é o escritório do Sr. Hart?

> *O possessivo com* 's
> *O possessivo com nomes de pessoas ou substantivos é expresso com o uso de* 's.
>
> the woman's purse = *a bolsa da mulher*
> Dick's car = *O carro de Dick*
> a man's suit = *um terno de homem*

SECRETARY:
Sékrâtaeri:
Secretária:
    Yes, sir. I am his secretary.
    Iés, sâr. Ai aem hiz sékrâtaeri.
    Sim, senhor. Eu sou sua secretária.

MR. MARTIN:
    Is Mr. Hart in his office today?
    Iz Místâr Ha:rt in hiz ófis tudei?
    O Sr. Hart está em seu escritório hoje?

SECRETARY:
    Yes, he is. Do you have an appointment with him?
    Iés, hi iz. Du iu: haev an apóintmânt uidh him?
    Sim, ele está. O senhor tem hora marcada com ele?

Pronomes objetivos
Toda vez que usamos os pronomes com função de objeto direto ou indireto, eles tomam uma forma especial, ou seja:

sujeito	objeto
I	me
you	you
he	him
she	her
it	it
we	us
they	them

MR. MARTIN:
No, I haven't. But I'm a friend of Mr. Hart's.
Nou, ai 'hævânt. Bât aim â frénd âv Místâr Ha:rts.
Não, não tenho. Mas eu sou amigo do Sr. Hart.

Here's my card. Is it possible to see him?
Híârz mai ka:rd. Iz it póssibâl tâ si: him?
Aqui está o meu cartão. É possível vê-lo?

SECRETARY:
I think he's in a conference.
Ai think hiz in â 'kânfârâns.
Eu penso que ele está numa reunião.

Omissão de palavras
No inglês corrente é comum a omissão do that ("que"). Assim, quando a secretária diz I think he's in... *está subentendido* I think that he's in...

Please, wait a moment.
Pli:z, ueit â moumânt.
Por favor, aguarde um momento.

(She speaks on the telephone.)
Chi spi:ks ón dhâ télâfoun.
(Ela fala ao telefone.)

Hello! Mr. Hart? Are you busy now?
Helou! Místâr Ha:rt? A:r iú bízi nau?
Alô! Sr. Hart? O senhor está ocupado agora?

Mr. William Martin is here.
Místâr Uíliâm Má:rtin iz híâr.
O Sr. William Martin está aqui.

Very well, Mr. Hart. Immediately.
Véri uél, Místâr Ha:rt. Imídiâtli.
Muito bem, Sr. Hart. Imediatamente.

He's free now, Mr. Martin.
Hiz fri: nau, Místâr Má:rtin.
Ele está livre agora, Sr. Martin.

Come this way, please.
Kâm dhis uei, pli:z.
Por aqui, por favor.

MR. MARTIN:
Thank you. You're very kind.
Thænk iu:. Iúâr véri káind.
Obrigado. A senhora é muito gentil.

As contrações
Como você deve ter notado, estamos introduzindo pouco a pouco as contrações mais comuns. Embora no inglês escrito formal, como artigos técnicos e cartas comerciais, as contrações não apareçam, é bom você habituar-se a usá-las e, principalmente, a reconhecê-las no inglês falado.
Seguem, abaixo, as contrações nas formas afirmativas e negativas dos verbos to be *e* to have:

I am	I'm
you are	you're
he, she, it is	he's, she's, it's
I am not	I'm not

you are not	you aren't/you're not
he, she, it is not	he, she, it isn't/he's not, etc.
I have	I've
you have	you've
I have not	I haven't
you have not	you haven't
he, she, it has not	he, she, it hasn't
I do not	I don't
you do not	you don't
he, she, it does not	he, she, it doesn't

As contrações com os pronomes we *e* they *são as mesmas que com o pronome* you.

TESTE SEU INGLÊS

Faça corresponder os números das frases da primeira coluna às letras das frases da segunda coluna que sejam sua tradução. Escreva essas letras no local indicado. Conte 10 pontos para cada resposta correta.

1. What country are you from?   A. Ela é inglesa.
2. We are from different countries.   B. De que país vocês são?
3. Who are those people?   C. São americanos.
4. She is English.   D. Você fala inglês?
5. They are Americans.   E. Eles gostam de falar francês.
6. Do you speak English?   F. Quem são aquelas pessoas?
7. They like to speak French.   G. Somos de países diferentes.
8. This is my friend.   H. Vocês gosta de ir fazer compras?
9. Do you like to go shopping?   I. Espere um momento, por favor.
10. Please wait a moment.   J. Este é o meu amigo.

1.___, 2.___, 3.___, 4.___, 5.___, 6.___, 7.___, 8.___, 9.___, 10.___.

Respostas: 1-B; 2-G; 3-F; 4-A; 5-C; 6-D; 7-E; 8-J; 9-H; 10-I.

Resultado: _____ %

passo 4 — OS NÚMEROS E COMO USÁ-LOS

The numbers:
Dhâ 'nâmbârz:
Os números:

1	2	3	4	5
one	two	three	four	five
uân	**tu:**	**thri:**	**fo:r**	**faiv**

6	7	8	9	10
six	seven	eight	nine	ten
siks	**sévân**	**eit**	**náin**	**tén**

11	12	13	14
eleven	twelve	thirteen	fourteen
ilévân	**tuélv**	**thârti:n**	**fo:rti:n**

15	16	17	18
fifteen	sixteen	seventeen	eighteen
fifti:n	**siksti:n**	**sévânti:n**	**eiti:n**

19	20
nineteen	twenty
nainti:n	**tuénti**

After 20:
'æftâr tuénti
Depois de 20:

21	22	23
twenty-one	twenty-two	twenty-three
tuénti-uân	**tuénti-tu:**	**tuénti-thri:**

And then:	30	31
ænd dhén	thirty	thirty-one
E depois:	**thârti**	**thârti-uân**

40	50	60
forty	fifty	sixty
fó:rti	**fífti**	**síksti**

70	80	90
seventy	eighty	ninety
sévânti	**êiti**	**náinti**

100	101	102
a/one hundred	a hundred and one	a hundred and two
â/uân 'hândrid	**â 'hândrid ænd uân**	**â 'hândrid ænd tu:**

200	300	400
two hundred	three hundred	four hundred
tu: 'hândrid	**thri: 'hândrid**	**fo:r 'hândrid**

500	600	700
five hundred	six hundred	seven hundred
faiv 'hândrid	**siks 'hândrid**	**sévân 'hândrid**

800	900	1,000
eight hundred	nine hundred	a/one thousand
eit 'hândrid	**náin 'hândrid**	**â/uân thauzând**

10,000	100,000	1,000,000
ten thousand	one hundred thousand	a million
tén thauzând	**uân 'hândrid thauzând**	**â míliân**

Cem, mil e milhões
*Quando os números forem superiores a 999, coloca-se uma vírgula onde se usaria ponto. Usa-se and com o número 100 (*hundred*) seguido de outros números.*

Numbers are very important.
'Nâmberz a:r véri impó:rtânt.
Os números são muito importantes.

In stores:
In sto:rz:
Em lojas:

A customer: How much is this?
Â 'kâstâmâr: Hau mâtch is dhis?
Um freguês: Quanto é isto?

The sales clerk: Six and a half dollars, ma'am.
Dhâ seilz klârk: Siks ænd â hæf dólarz mæm.
O vendedor: Seis dólares e meio, senhora.

The customer: Very well. Have you change for a fifty dollar bill?
Dhâ 'kâstâmâr: Véri uél. Hæv iu: tchændj fâr â fífti dólâr bil?
A freguesa: Muito bem. Você tem troco para uma nota de cinqüenta dólares?

On the telephone:
Ón dhâ télâfoun:
Ao telefone:

A voice: Hello! Who is speaking?
Â vóis: Helou! Hu iz spí:kin(g)?
Uma voz: Alô! Quem está falando?

Second voice: Is this 683-4075?
Sékând vóis: Iz dhis siks eit thri: fo:r ou sévân faiv?
Segunda voz: É 683-4075?

First voice: No. This is 683-4079.
Fârst vóis: Nou. Dhis iz siks eit thri: fo:r ou sévân náin.
Primeira voz: Não. É 683-4079.

Second voice: Oh! I'm sorry! Wrong number!
Ou! Áim sóri! Rón(g) 'nâmbâr!
Oh! Desculpe! Número errado!

Ligações telefônicas
Operator = *Telefonista*

Long distance = *Interurbano*
Overseas call = *Ligação internacional*
Collect call/Transferred-charge call = *Ligação a cobrar*
Information, please = *Informação, por favor*.

For addresses: What's your address, please?
Fo:r ædréssiz: Uóts io:r 'ædris, pli:z?
Para endereços: Qual o seu endereço, por favor?

144 5th Avenue.
Uân fó:rti fo:r fifth 'Ævâniu.
144, Quinta Avenida.

— We are on the fifth floor. Apartment 5C.
Uí a:r ón dhâ fifth flo:r. Apá:rtmânt faiv si:.
Nós estamos no 5º andar. Apartamento 5C.

Endereços
*Nos EUA e na Inglaterra o número da casa ou do prédio é dado antes do nome da rua (*144 5th Avenue*).*

Primeiro, segundo, etc.
Os números ordinais de 1 a 10 são como se segue:

first = *primeiro*   sixth = *sexto*
second = *segundo*   seventh = *sétimo*
third = *terceiro*   eith = *oitavo*
fourth = *quarto*   ninth = *nono*
fifth = *quinto*   tenth = *décimo*

Num elevador
Nos EUA o andar térreo é chamado de first floor, *"primeiro andar". Na Inglaterra, o* ground floor *corresponde ao nosso andar térreo.*
Outras palavras importantes: up *(para cima);* down *(para baixo)*, out of order *(não funciona)*.

To tell the time:
Tu tél dhâ táim:
Para dizer as horas:

What time is it?
Uót táim iz it?
Que horas são?

It's seven o'clock.
Its sévân ouklók.
São sete horas.

It's five minutes past seven.
Its faiv minâts pæst sévân.
São sete e cinco.

It's ten past seven.
Its tén pæst sévân.
São sete e dez.

...a quarter past seven.
...â kuórtâr pæst sévân.
...sete e quinze.

...half past seven.
...hæf pæst sévân.
...sete e meia.

...twenty to eight.
...tuénti tu eit.
...vinte para as oito.

...a quarter to eight.
...â kuórtâr tu eit.
...um quarto para as oito.

Now it's eight o'clock.
Nau its eit ouklók.
Agora são oito horas.

> ***Dizendo as horas***
> *A palavra* o'clock *significa "segundo o relógio" e é usada para indicar horas exatas. (São três horas =* It's three o'clock *ou* It's three.*)*

Para designar os minutos, em vez de usar as palavras past *e* to, *como você viu na lição, podem-se simplesmente dizer os números, de 1 a 59, depois da hora cheia.*

eight twenty-five = *oito e vinte e cinco*
nine forty-five = *nove e quarenta e cinco*

To make appointments:
Tu meik âpóintmânts:
Para marcar hora:

Let's meet at five tomorrow.
Lét's mi:t æt faiv tumórou.
Vamos nos encontrar às cinco amanhã.

That's a good idea. But where?
Dhæts â gud aidia. Bât uéâr?
É uma boa idéia. Mas onde?

In front of the information booth.
In frónt âv dhi infârmêichân bu:th.
Em frente ao posto de informação.

Sufixos
Ao sufixo português -ção temos o correspondente inglês -tion. Compare e veja como é fácil traduzir estas palavras:

nation	selection	action
transportation	infection	protection
construction	revolution	admiration
constitution	information	designation

But if I don't come at exactly five,
Bât if ai dónt kâm æt ig'zæktli faiv,
Mas se eu não chegar exatamente às cinco,

please wait a few minutes, O.K.?
pli:z ueit â fiu: minâts, ou kei?
por favor, espere uns minutos, está bem?

33

Imperativo
Para que o imperativo não soe rude, como uma ordem propriamente dita, usa-se please *ou* will you?*:*

Please, wait a moment = *Por favor, espere um momento.*
Follow me, will you? = *Acompanhe-me, por favor.*

O imperativo negativo se forma com don't*:*
Don't speak! = *Não fale!*

Uma palavra internacional — O.K.
Embora seja uma expressão idiomática, isto é, uma expressão própria de uma língua, cujo sentido não se prende à tradução exata, O.K. é usado com freqüência em diferentes países. No inglês falado é bastante comum.

CONVERSAÇÃO: NUMA UNIVERSIDADE

A young man speaks to a young woman.
Â iân(g) mæn spi:ks tu â iân(g) uúmân.
Um jovem rapaz fala com uma moça.

THE YOUNG MAN:
Dhi iân(g) mæn:
O rapaz:
  Good morning, Miss.
  Gud mórnin(g), Mis.
  Bom dia, senhorita.

  You're a new student here, aren't you?
  Iuâr â niú stiúdânt híâr, a:rnt iu:?
  Você é uma nova estudante aqui, não é?

> *Inversão do verbo* to be
> *A inversão do verbo* to be *no final de uma frase equivale a se dizer "não é?" ou "não é verdade?", após qualquer afirmação. Veja:*
>
>   He is French, isn't he? = *Ele é francês, não é verdade?*

THE YOUNG WOMAN:
Dhi iân(g) uúmân:
A moça:
  Yes, this is my first year.
  Iés, dhis iz mai fârst iâr.
  Sim, este é o meu primeiro ano.

THE YOUNG MAN:
  Welcome to the university!
  Uélkâm tu dhi iunivérsiti!
  Bem-vinda à universidade!

I am from the Dean's office.
Ai æm fróm dhâ Di:nz ófis.
Eu sou do escritório do Diretor.

My name is James Carrington.
Mai nêim is Djeimz 'Kæringtân.
Meu nome é James Carrington.

THE YOUNG WOMAN:
I am very happy to meet you.
Ai æm véri 'hæpi tâ mi:t iu:
Tenho muito prazer em conhecê-lo.

THE YOUNG MAN:
The pleasure is mine.
Dhâ pléjâr iz máin.
O prazer é meu.

Pardon me, but I need some information
Pá:rdân mi:, bât ai ni:d sâm infârmêichân
Desculpe, mas preciso de algumas informações

about you and your study program.
abaut iu: ænd io:r 'stâdi prou'græm.
a seu respeito e de seu programa de estudos.

First, what is your name?
Fârst, uót is io:r nêim?
Primeiro, qual é o seu nome?

THE YOUNG WOMAN:
My name is Erskine, Catherine Erskine.
Mai nêim iz Erskain, 'Kæthri:n Erskain.
Meu nome é Erskine, Catherine Erskine.

> **What is your name**
>
> name = *nome, sobrenome*
> first name = *primeiro nome, nome de batismo*
> last name = *sobrenome*

THE YOUNG MAN:
    Good. What is your study program this semester?
    Gud. Uót iz io:r stâdi prou'græm dhis siméstâr?
    Bom. Qual é o seu programa de estudos para este semestre?

THE YOUNG WOMAN:
    Elementary French, Modern History,
    Eliméntâri Fréntch, Módârn Hístâri,
    Francês Básico, História Moderna,

    English Composition and Literature, and Biology.
    Ínglich Kâmpâzíchân ænd Lítrâtchâr, ænd Baiólâdji.
    Composição e Literatura Inglesas e Biologia.

    Palavras semelhantes
    Note como os nomes de algumas áreas de estudo se parecem em português e em inglês:

mathematics	*matemática*
geography	*geografia*
sociology	*sociologia*
philosophy	*filosofia*
psychology	*psicologia*
medicine	*medicina*
zoology	*zoologia*
geology	*geologia*
music	*música*
art	*arte*

THE YOUNG MAN:
    Good. And what is your telephone number?
    Gud. Ænd uót iz io:r telâfoun 'nâmbâr?
    Bom. E qual é o seu número de telefone?

THE YOUNG WOMAN:
    My number is 561-3470.
    Mai 'nâmbâr iz faiv siks uân thri: fo:r sévân ou.
    Meu número é 561-3470.

THE YOUNG MAN:
    And your address?
    Aend io:r 'aedris?
    E o seu endereço?

THE YOUNG WOMAN:
    My address is 173 Church Street, apartment 3B.
    Mai 'aedriz iz uân sévân thri: Tchârch Stri:t, âpá:rtmânt thri: bi:.
    Meu endereço é Rua Church, 173, apartamento 3B.

THE YOUNG MAN:
    That's all. Thank you very much. Good-bye!
    Dhaets ó:l. Thaenk iu: véri mâtch. Gud-bai!
    É só isso. Muito obrigado. Até logo!

> **Very**
> Very *se traduz por "muito" e também indica o grau superlativo dos adjetivos.*
>
>   She is beautiful = *Ela é linda.*
>   She is very beautiful = *Ela é lindíssima.*
>
>   He is rich = *Ele é rico.*
>   He is very rich = *Ele é riquíssimo.*

A FRIEND OF THE YOUNG WOMAN:
Â frénd âv dhi iân(g) uúmân:
Um amigo da moça:
    Hi, Catherine!
    Hai, 'Kaethri:n!
    Olá, Catherine!

    Do you know that character?
    Du iu: nou thaet 'kaerâktâr?
    Você conhece aquele cara?

> *Uma palavra em inglês — duas em português*
> *"Conhecer" e "saber" traduzem-se por* to know.

YOUNG WOMAN:
He is not a character.
Hi iz nót â 'kaerâktâr.
Ele não é um cara.

He's from the Dean's office.
Hiz fróm dhâ Di:ns ófis.
Ele é do escritório do Diretor.

FRIEND:
Wait a minute! That's a joke!
Ueit â minât! Dhaets â djouk!
Espere um minuto. Isso é uma piada!

It isn't true.
It ízânt tru:.
Não é verdade.

He doesn't work in the Dean's office.
Hi dâzânt uârk in thâ Di:ns ófis.
Ele não trabalha no escritório do Diretor.

He's a student like us.
Hiz â stiudânt laik âs.
Ele é um aluno como nós.

Be careful, eh?
Bi 'kaerfâl, âh?
Cuidado, hein?

> *A pronúncia dos artigos* **a** *e* **the**
> A *pode soar [ei], quando se quiser enfatizá-lo. Normalmente, soa [â], como o segundo "a" de "casa".* The *é pronunciado [dhâ] antes de consoantes e [dhi] antes de vogais. Lembre-se, [dh] deve ser pronunciado como um "d" com a língua entre os dentes.*

TESTE SEU INGLÊS

Faça corresponder os números das frases da primeira coluna às letras das frases da segunda coluna que sejam sua tradução. Escreva essas letras no local indicado. Conte 10 pontos para cada resposta correta.

1. Wait a minute.   A. Preciso de algumas informações.

2. It's not true.   B. Como você se chama?

3. What's your telephone number?   C. É só isso.

4. He's a student.   D. Não é verdade.

5. I need some information.   E. Muito prazer em conhecê-lo.

6. Have a nice day!   F. O prazer é meu.

7. What's your name?   G. Espere um momento.

8. That's all.   H. Qual é o número do seu telefone?

9. The pleasure is mine.   I. Tenha um bom dia!

10. Nice to meet you.   J. Ele é um estudante.

1.___, 2.___, 3.___, 4.___, 5.___, 6.___, 7.___, 8.___, 9.___, 10.___.

Respostas: 1-G; 2-D; 3-H; 4-J; 5-A; 6-I; 7-B; 8-C; 9-F; 10-E.

Resultado: _____ %

passo 5 VOCABULÁRIO: ESCRITÓRIO, CASA, LAZER

— Is there anybody in the office?
Iz dhéâr énibodi in dhi ófis?
Há alguém no escritório?

— Yes, there are some people there.
Iés, dhéâr a:r sâm pi:pâl dhéâr.
Sim, há algumas pessoas lá.

— There are eleven people, seven men and four women.
Dhéâr a:r ilévân pi:pâl, sévân mén ænd fo:r uímen.
Há onze pessoas, sete homens e quatro mulheres.

> *O plural sem s*
> *Embora o plural se forme quase sempre com o acréscimo do s ao final da palavra, há algumas exceções importantes:*
>
> | | |
> |---|---|
> | *homem* = man | *homens* = men |
> | *mulher* = woman | *mulheres* = women |
> | *criança* = child | *crianças* = children |
> | *rato* = mouse | *ratos* = mice |
> | *pé* = foot | *pés* = feet |
> | *dente* = tooth | *dentes* = teeth |
>
> People *pede sempre o verbo no plural, pois significa "pessoas". Só temos* people *com flexão de número quando usamos esta palavra com sentido de "povo".*

— What are they doing?
Uót a:r dhei dúin(g)?
O que eles estão fazendo?

— They are all working.
Dhei a:r ó:l 'uârkin(g).
Eles estão todos trabalhando.

Some are talking on the telephone.
Sâm a:r tó:kin(g) ón dhâ téláfoun.
Alguns estão falando ao telefone.

Others are writing letters on typewriters,
'Ãdhârz a:r ráitin(g) létârz ón taipráitârz,
Outros estão escrevendo cartas em máquinas de escrever,

Letter = *"carta" ou "letra".*

or reading reports.
o:r rí:din(g) ripó:rts.
ou lendo relatórios.

A terminação **-ing**
O tempo progressivo ou contínuo se forma com o verbo to be *mais o verbo principal com a terminação* -ing. *É usado em inglês para expressar um fato ou ação que está ocorrendo no momento. Observe a diferença:*

I read books in English.
Leio livros em inglês.

I am reading a book in English.
Estou lendo um livro em inglês.

Another is working with a computer.
Â'nâdhâr iz 'uârkin(g) uidh â kompiútâr.
Um outro está trabalhando com um computador.

Now it is five o'clock.
Nau it iz faiv ouklók.
Agora são cinco horas.

Everyone is going home.
Évriuân iz gôuin(g) houm.
Todo o mundo está indo para casa.

At five thirty nobody is in the office.
Æt faiv 'thârti noubódi iz in dhi ófis.
Às cinco e meia ninguém está no escritório.

Somebody — nobody
Em inglês existem quatro palavras para "alguém" e duas para "ninguém". Veja:

alguém = somebody *ou* someone
anybody *ou* anyone

ninguém = nobody *ou* no one

Somebody e someone *são usados em frases afirmativas.* Anybody e anyone *são usados para frases interrogativas e com verbos na negativa. Observe os exemplos:*

Somebody is in the office.
Alguém está no escritório.

Is anybody in the office?
Alguém está no escritório?

There isn't anybody in the office.
Não há ninguém no escritório.

Nobody is in the office.
Ninguém está no escritório.

In the living room there are chairs, a sofa, tables,
In dhâ lívin(g) ru:m dhéâr a:r tcheârz, â soufâ, têibâlz,
Na sala de estar há cadeiras, um sofá, mesas,

bookshelves and a television set.
bukshélvz ænd â télâvijân set.
estantes de livros e um aparelho de televisão.

The house = *"a casa"*

living room = *sala de estar*
dining room = *sala de jantar*
kitchen = *cozinha*
hall = *hall*
bedroom = *dormitório*

bathroom = *banheiro*
doors = *portas*
closet = *closet*
built-in cupboard = *armário embutido*
wardrobe = *guarda-roupa*
stairs = *escada*
windows = *janelas*

Quando nos referimos a "casa" como "lar", usamos a palavra home.

Is there anything on the large table?
Iz dhéâr énithin(g) ón dhâ la:rdj têibâl?
Há alguma coisa sobre a mesa grande?

> **Large *e* small**
> *"Grande" e "pequeno" podem ser traduzidos igualmente por* big *e* little *ou por* large *e* small*; as duas últimas formas são mais usadas para medidas de roupas, tamanhos de cidades, montanhas, etc.*

Yes, there is something on it,
Iés, dhéâr iz 'sâmthin(g) ón it,
Sim, há alguma coisa sobre ela,

a lamp, pictures, and flowers.
â laemp, píktchârz, aend fláuârz.
um abajur, quadros e flores.

There is nothing on the small table.
Dhéâr iz 'nâthin(g) ón dhâ smó:l têibâl.
Não há nada sobre a mesa pequena.

> **Something, anything, nothing**
> *Estas palavras se aplicam a coisas (*things*), ao passo que* somebody, anybody, nobody *se referem a pessoas.* Something *e* anything *significam "algo", "alguma coisa".* Nothing *significa "nada".*

Something *é usado em frases afirmativas,* anything *em interrogativas e negativas.*

There is something on the table.
Há alguma coisa sobre a mesa.

Is there anything on the table?
Há alguma coisa sobre a mesa?

No, there isn't anything.
Não, não há nada.

No, there is nothing.
Não, não há nada.

A man is sitting on the sofa.
Â mæn iz sítin(g) ón dhâ soufâ.
Um homem está sentado no sofá.

He is watching television.
Hi iz uótchin(g) telâvíjân.
Ele está assistindo à televisão.

His wife asks him:
His uaif æsks him:
Sua esposa pergunta a ele:

"Are you watching anything interesting?"
"A:r iu: uótchin(g) énithin(g) íntrâstin(g)?"
"Você está assistindo a alguma coisa interessante?"

> **Lembre-se**
> *O tempo contínuo é mais usado em inglês do que em português. Verifique:*
>
> I'm sitting = *Estou sentado.*
> He's standing = *Ele está de pé.*

He answers her: "Nothing special. Only the news program."
Hi 'ænsârz hâr: "'Nâthin(g) spéshâl. Ónli dhâ niúz prou'græm."
Ele lhe responde: "Nada de especial. Apenas o noticiário."

Pronomes objetivos

She asks HIM = *Ela pergunta para ele.*
He answers HER = *Ele responde para ela.*

Na unidade 3, você viu a lista desses pronomes. Recorde.

But later they are showing a mystery movie.
Bât lêitâr dhei a:r chôuin(g) â místâri múvi.
Mas mais tarde eles vão passar um filme de mistério.

They say...
Como sujeito indeterminado usa-se freqüentemente o pronome they:

They speak English on that island.
Fala-se inglês naquela ilha.

They say she is an actress.
Dizem que ela é atriz.

Boy: "Mother, is there anything to eat?
Bói: "'Mâdhâr, iz dhéâr énithin(g) tu i:t?
Menino: "Mãe, tem alguma coisa para comer?

I'm hungry."
Aim 'hângri."
Estou com fome."

Expressões idiomáticas com to be
O verbo to be *é usado em muitas expressões em que em português usamos o verbo "ter":*

ter sede = to be thirsty
ter fome = to be hungry
ter frio = to be cold
ter calor = to be hot
ter razão = to be right
ter sorte = to be lucky
ter má sorte = to be unlucky

MOTHER: "There's bread and peanut butter
'Mâdhâr: "Dhérz bred ænd pi:nât 'bâtâr
Mãe: "Tem pão e manteiga de amendoim

on the kitchen table.
ón dhâ kítchân têibâl.
na mesa da cozinha.

> *Economizando palavras*
> *Em alguns casos a preposição* of *("de") é omitida através da inversão de palavras:*
>> The house of stone = The stone house — *A casa de pedra.*
>> The table of the kitchen = The kitchen table — *A mesa da cozinha.*

And, if you are thirsty,
Ænd, if iu: a:r 'thârsti,
E, se você tiver sede,

there's milk in the refrigerator.
dhérz milk in dhâ rifridjârêitâr.
tem leite na geladeira.

But don't eat too much now.
Bât dónt i:t tu: mâtch nau.
Mas não coma muito agora.

We're going to have dinner soon."
Uíâr gôuin(g) tâ hæv dínâr su:n."
Vamos jantar logo."

CONVERSAÇÃO: UM CONVITE PARA IR AO CINEMA

— Hi girls, where are you going?
Hai gârlz, uéâr a:r iu: gôuin(g)?
Olá, garotas, onde vocês vão?

— We're going to the movies.
Uíâr gôuin(g) tâ dhâ múviz.
Vamos ao cinema.

— To which movie theater?
Tu uitch múvi thí:âtâr?
A qual cinema?

— We are going to the Capitol.
Uí a:r gôuin(g) tâ dhâ 'Kæpitâl.
Vamos ao Capitólio.

— What film are they giving today?
Uót film a:r dhei guívin(g) tudei?
Que filme está passando hoje?

— A new one. They say it's very funny.
Â niú uân. Dhei sei its véri 'fâni.
Um novo. Dizem que é muito engraçado.

And it has a wonderful cast.
Ænd it hæz â úândârful kæst.
E tem um elenco maravilhoso.

— Why don't you come with us?
Uái dónt iu: kâm uidh âs?
Por que você não vem conosco?

Why? = *Por quê?*
Because = *Porque*

— I don't know if I have time.
Ai dónt nou if ai hæv táim.
Não sei se tenho tempo.

When does it start?
Uén dâz it sta:rt?
Quando começa?

— At exactly eight.
Æt ig'zæktli eit.
Às oito em ponto.

We have fifteen minutes to get there.
Uí hæv fifti:n minâts tâ guét dhéâr.
Temos quinze minutos para chegar lá.

— And do you know when it ends?
Ænd du iu: nou uén it éndz?
E você sabe quando termina?

— It ends a little after ten.
It éndz â lídâl 'æftâr tén.
Termina um pouco depois das dez.

— That's not very late.
Dhæts nót véri leit.
Não é muito tarde.

— Then come with us.
Dhén kâm uidh âs.
Então venha conosco.

— Fine! But let me invite you.
Fáin! Bât lét mi inváit iu:.
Certo! Mas deixem-me convidar vocês!

Permissão
Let *seguido do pronome objeto significa "permitir" ou "deixar".*

— You are very kind.
Iu: a:r véri kaind.
Você é muito gentil.

But that isn't necessary.
Bât dhæt ízânt 'nessâssæri.
Mas não é necessário.

We are too many.
Uí a:r tu: méni.
Nós somos muitas.

Everyone pays for his own ticket.
Évriuân peiz fâr hiz oun tíkit.
Cada uma paga a sua entrada.

We always do it that way.
Uí ó:lueiz du it dhæt uei.
Nós sempre fazemos dessa maneira.

You e seus vários significados
You *corresponde, em português, a "tu", "você", "vocês", "vós", "te", "lhe", "vos", enfim, aos pronomes de 2.ª pessoa, singular e plural, com função de sujeito e de objeto, assim como aos pronomes de tratamento "o senhor", "a senhora" etc. No inglês antigo havia* thou *("tu"), que hoje caiu em desuso.*

TESTE O SEU INGLÊS

Verta para o inglês as frases abaixo. Conte 10 pontos para cada resposta correta.

1. Há três pessoas no escritório. _____

2. O que eles estão fazendo? _____

3. Estão trabalhando. _____

4. O filme tem um elenco maravilhoso. _____

5. É muito engraçado. _____

6. A que horas começa? _____

7. Ela está falando ao telefone. _____

8. Tem alguma coisa para se comer? _____

9. Agora não tem ninguém no escritório. _____

10. Ela pergunta a ele. Ele responde a ela. _____

Respostas: 1. There are three people in the office. 2. What are they doing? 3. They are working. 4. The film has a wonderful cast. 5. It is very funny. 6. When/What time does it start? 7. She is talking on the telephone. 8. Is there anything to eat? 9. Now there is nobody in the office. 10. She asks him. He answers her.

Resultado: _____ %

passo 6 — O ALFABETO INGLÊS

This is the English alphabet.
Dhis iz dhi Ínglish 'ælfâbet.
Este é o alfabeto inglês.

A	B	C	D	E	F	G
ei	bi:	si:	di:	i:	éf	dji:

H	I	J	K	L	M	N
eitch	ai	djei	kei	él	ém	én

O	P	Q	R	S	T	U
ou	pi:	kiú	a:r	és	ti:	iú

V	W	X	Y	Z
vi:	'dâbliu	eks	uai	zi/zéd

There are twenty-six letters in the English alphabet.
Dhéâr a:r tuénti siks létârz in dhi Ínglich 'ælfâbet.
Há vinte e seis letras no alfabeto inglês.

> *Atenção*
> *No alfabeto inglês há três letras que não existem no alfabeto português:* k, y e w.
> *Quanto à pronúncia, há alguns sons que não existem no nosso idioma e que podem apresentar alguma dificuldade para o falante do português, como por exemplo o h aspirado e os sons do th. Mais detalhes a esse respeito encontram-se no capítulo "Como pronunciar o inglês", no início deste livro.*

The Portuguese alphabet is shorter than the English.
Dhâ Pó:rtugui:z 'ælfâbet iz chó:rtâr thæn dhi Ínglich.
O alfabeto português é mais curto que o inglês.

It has three letters less.
It hæz thri: létârz lés.
Tem três letras a menos.

Which language is easier, Portuguese or English?
Uitch 'længuâdj iz í:ziâr, Pó:rtugui:z o:r Ínglich?
Qual língua é mais fácil, português ou inglês?

> *O comparativo dos adjetivos*
> *Para o comparativo de superioridade, a regra geral é acrescentar -er para adjetivos de uma sílaba:* short — shorter *("curto" — "mais curto"),* long — longer *("longo" — "mais longo").*
> *Para os adjetivos de duas ou mais sílabas, usa-se* more *("mais") precedendo o adjetivo.*
> *Para o comparativo de inferioridade usa-se* less *("menos") antes do adjetivo.*

English is easy because its grammar is simple.
Ínglich iz í:zi bikó:z its 'græmâr iz símpâl.
Inglês é fácil porque a sua gramática é simples.

The grammar is more difficult in Portuguese.
Dhâ 'græmâr iz mo:r dífikâlt in Pó:rtugui:z.
A gramática é mais difícil em português.

But the English pronunciation is sometimes difficult.
Bât dhi Ínglich prânânsiêishân iz sâmtáimz dífikâlt.
Mas a pronúncia do inglês às vezes é difícil.

For example, how does one pronounce "enough", "laugh", "night", "right", "know"?
Fo:r ig'zæmpâl, hau dâz uân prânáuns "i'nâf", "læf", "nait", "rait", "nou"?
Por exemplo, como se pronunciam enough *(suficiente),* laugh *(rir),* night *(noite),* right *(certo),* know *(saber)?*

> *Letras mudas*
> *Várias palavras inglesas contêm letras que não se ouvem. Isso ocorre porque o inglês provém em grande parte do*

saxão (ou seja, alemão) e conserva letras das palavras originais que, no entanto, não se pronunciam.

Sons parecidos
Existem palavras que têm grafias diferentes, mas pronúncias muito parecidas:

right = *direito (oposto a esquerdo); certo, correto*
write = *escrever*
know = *saber*
no = *não*
do = *fazer*
due = *devido*
dew = *orvalho*

sea = *mar*
see = *ver*
to = *a, para*
two = *dois*
too = *também*

A telephone message:
Â téláfoun méssâdj:
Um recado por telefone:

— Hello, is Mr. Woodward in?
   Helou, iz Místâr Uúduârd in?
   Alô, o Sr. Woodward está?

> **In — out**
> *Estas preposições, que significam "dentro" e "fora", são muito empregadas na conversação diária para indicar a presença ou ausência de pessoas.*

— No. He's out.
   Nou. Hiz aut.
   Não. Ele não está.

Who is calling?
Hu iz kó:lin(g)?
Quem está falando?

— My name is Henry Wellington.
   Mai nêim iz Hênri Uélin(g)tân.
   Meu nome é Henry Wellington.

— How do you spell your last name?
Hau du iu: spél io:r læst neim?
Como se escreve o seu sobrenome?

— W-E-L-L-I-N-G-T-O-N.
'Dâbliu, i:, él, él, ai, én, dji:, ti:, ou, én.

Please, tell him that I'm at the Hotel Hilton.
Pli:z, tél him dhæt áim æt dhâ Hâtél Híltân.
Por favor, diga a ele que eu estou no Hotel Hilton.

Reading and writing English:
Rí:din(g) ænd ráitin(g) Ínglich:
Lendo e escrevendo inglês:

Do you read much in English?
Du iu: ri:d mâtch in Ínglich?
Você lê muito em inglês?

Yes, I do.
Iés, ai du:.
Sim, leio.

> **Do** *para respostas curtas*
> *Quando respondemos apenas "sim" (yes) ou "não" (no), usamos o que se chamam, em inglês, short answers, respostas curtas. Não se repete o verbo da pergunta, que é substituído por* to do:
>
> Does he speak English? Yes, he does.
> *Ele fala inglês? Sim, fala.*

I read newspapers, magazines, and books.
Ai ri:d niúspeipârz, 'mægâzi:nz, ænd buks.
Eu leio jornais, revistas e livros.

Do you also write in English?
Du iu: ólsou rait in Ínglich?
Você também escreve em inglês?

Yes, I sometimes write letters to friends.
Iés, ai sâmtáims rait létârz tâ fréndz.
Sim, às vezes escrevo cartas para amigos.

Sending letters:
Séndin(g) létârz:
Enviando cartas:

Excuse me. Are there enough stamps on this letter?
Ekskiúzmi:. A:r dhéâr i'nâf stæmps ón dhis létâr?
Desculpe. Há selos suficientes nesta carta?

Post office clerk: No. For foreign mail
Poust ófis klârk: Nou. Fo:r fórin meil
Funcionário do correio: Não. Para correspondência para o exterior

you need forty cents more.
iu: ni:d fó:rti sénts mo:r.
você precisa de quarenta centavos mais.

And how much is it to send this package?
Ænd hau mâtch iz it tu send dhis 'pækidj?
E quanto fica para enviar este pacote?

Regular mail or insured?
Réguiulâr meil o:r inchu:rd?
Comum ou com seguro?

Insure it for fifty dollars, please. It's important.
Inchu:r it fo:r fífti dólârz, pli:z. Its impó:rtânt.
Com seguro de cinqüenta dólares, por favor. É importante.

CORRESPONDÊNCIA: CARTAS, CARTÕES POSTAIS, SOLICITAÇÃO DE EMPREGO

Dear Kenneth:
Díâr Kénâth:
Caro Kenneth:

Thank you for the beautiful flowers.
Thænk iu: fo:r dhâ biútiful fláuârz.
Obrigada pelas lindas flores.

What a wonderful surprise!
Uót â úândârful sârpraiz!
Que surpresa maravilhosa!

Yellow roses are my favorite flowers.
Iélou rouziz a:r mai fêivârit fláuârz.
As rosas amarelas são minhas flores favoritas.

You are very kind.
Iu: a:r véri kaind.
Você é muito gentil.

I hope to see you again soon.
Ai houp tâ si: iu: aguén su:n.
Espero vê-lo de novo em breve.

Sincerely,
Sínsârli,
Sinceramente,

Catherine
'Kæthri:n
Catarina

Um cartão postal:
   Dear Mary:
   'Diâr Méri:
   Querida Mary:

Greetings from San Francisco.
Grí:tin(g)z frâm Sân Frânsískou.
Saudações de São Francisco.

It is a very beautiful city.
It iz â véri biútiful síti.
É uma cidade lindíssima.

This card shows a view of the harbor and the bridge.
Dhis ka:rd chouz â viú âv dhâ hárbâr aend dhâ bridj.
Este cartão mostra uma vista do porto e da ponte.

Wish you were here!
Uich iu: uâr híâr!
Queria que você estivesse aqui!

Best regards, Andrew
Best riga:rdz, 'Aendriu
Cumprimentos, André

> **Wish you were here!**
> *É uma expressão muito usada em inglês para cartões postais.*

Uma solicitação de emprego:
   Dear Sir:
   Díâr sâr:
   Prezado Senhor:

I am interested in a position in your company.
Ai aem íntrâstid in â pâzíchân in io:r kómpani.
Estou interessado num cargo em sua empresa.

Please find enclosed a résumé (curriculum) of my education and experience.
Pli:z faind inklouzd â reiziumêi âv mai ediukêichân aend ekspíriâns.
Queira, por gentileza, encontrar anexo o meu currículo com minha formação e experiência.

I speak English and German fluently.
Ai spi:k Ínglich aend 'Djârmân flú:ântli.
Falo inglês e alemão fluentemente.

Is it possible to grant me a personal interview?
Iz it póssibâl tâ graent mi: â 'pârsânâl intârviú?
É possível concederem-me uma entrevista pessoal?

I thank you in advance for your consideration.
Ai thaenk iu: in ad'vaens fo:r io:r kânsidârêichân.
Agradeço antecipadamente a sua consideração.

Very truly yours,
Véri trúli io:rz,
Atenciosamente,

TESTE SEU INGLÊS

Preencha os espaços em branco com a expressão em inglês que está faltando. Conte 10 pontos para cada resposta certa.

1. The English alphabet has _____ letters than the Portuguese one.
                                (mais)

2. Portuguese has two letters _____ .
                                (menos)

3. Is there a telephone _____ for me?
                       (recado)

4. He speaks, _____ and _____ English.
                 (lê)   (escreve)

5. Does this letter have _____ stamps?
                       (suficientes)

6. No, it doesn't. It needs _____ .
                           (quarenta centavos mais)

7. I hope to see you _____ .
                     (de novo em breve)

8. I thank you _____ .
                 (antecipadamente)

9. _____ San Francisco.
   (Saudações de)

10. I am interested _____ with your company.
   (num cargo)

Respostas: 1. fewer 2. more 3. message 4. reads, writes 5. enough 6. forty cents more 7. again soon 8. in advance 9. Greetings 10. in a position

Resultado: _____ %

passo 7 GRAUS DE PARENTESCO E PROFISSÕES

A family consists of:
 'faemili kânsists âv:
Uma família consiste de:

husband and wife
'hâsbând aend uaif
marido e esposa

parents and children
'paerânts aend tchíldrân
pais e filhos

Não confunda
parents = *pais*
relatives = *parentes*

father and mother
fá:dhâr aend 'mâdhâr
pai e mãe

son and daughter
sân aend dó:târ
filho e filha

brother and sister
'brâdhâr aend sístâr
irmão e irmã

grandparents and grandchildren
'graendpaerânts aend 'graendtchildrân
avós e netos

grandfather and grandmother
'graendfa:dhâr aend 'graendmâdhâr
avô e avó

grandson and grandaughter
'graendsân aend 'graendo:târ
neto e neta

Um prefixo de honra
Grand *significa "grande" e também "nobre".*

In a family there are also uncles, aunts, and cousins.
In â 'faemili dhéâr a:r ólsou 'ânkâlz, aents, aend kózânz.
Numa família também há tios, tias e primos.

Cousin *tem uma só forma para o masculino e o feminino:*
cousin = *primo, prima*

When a son or daughter gets married
Uén â sân o:r dó:târ guétz 'mærid
Quando um filho ou filha se casam

there are new relatives:
Dhér a:r niú rélâtivz:
há novos parentes:

father-in-law
fá:dhâr-in-ló:
sogro

mother-in-law
'mâdhâr-in-ló:
sogra

sister-in-law
sístâr-in-ló:
cunhada

brother-in-law
'brâdhâr-in-ló:
cunhado

To get — *verbo muito útil...*
To get *é um dos verbos mais empregados no inglês idiomático. Tem vários significados: "conseguir", "receber", "obter", "buscar", "comprar", "tornar-se", "chegar a algum lugar", e muitos outros. Observe:*

He gets a check every month.
Ele recebe um cheque todos os meses.

Get me some coffee, please.
Traga-me café, por favor.

Where do I get stamps?
Onde eu compro selos?

In winter it gets dark early.
No inverno escurece cedo.

Outras expressões idiomáticas:

to get rich = *enriquecer-se*
to get well = *sarar*
to get sick = *ficar doente*

to get angry = *zangar-se*
to get tired = *cansar-se*

Note como to get *aparece em muitos verbos que são reflexivos em português.*

The parents of the bride or the groom
Dhâ 'pærânts âv dhâ braid o:r dhâ gru:m
Os pais da noiva ou do noivo

get a new daughter-in-law or son-in-law.
guét â niú dó:târ-in-ló: o:r sân-in-ló:.
ganham mais uma nora ou um genro.

In-law
Os graus de parentesco decorrentes de um matrimônio expressam-se todos pelos acréscimo de -in-law, *que quer dizer "segundo a lei".*

In order to find out a person's profession we ask:
In ó:rdâr tâ faind aut â 'pârsons prâféchiân uí: æsk:
A fim de saber a profissão de uma pessoa nós perguntamos:

"What work do you do?"
"Uót uârk du iu: du:?"
"Que trabalho você faz?"

or "What's your profession?"
o:r "Uóts io:r prâféchiân?"
ou "Qual é a sua profissão?"

Palavras que terminam em -ion
Além de profession *há várias outras palavras que terminam em* -ion *e que são muito semelhantes em inglês e em português:*

confusion	procession
exclusion	illusion
invasion	confession

profusion version
obsession television

Embora a grafia e pronúncia se assemelhem, é preciso tomar cuidado, no entanto, com a acentuação. Em inglês, essas palavras tendem a ter a penúltima sílaba tônica.

A business man works in his office
Â bísniz maen uârks in his ófis
Um homem de negócios trabalha no seu escritório

or he travels.
o:r hi 'traevâlz.
ou viaja.

A = an
Por motivo de eufonia, o artigo a *se transforma em* an *antes de vogais e do* h *mudo. Quando a vogal inicial soa como duas vogais diferentes, permanece o uso de* a, *como em* a uniform *[â iúniform].*

Many workers work in factories.
Méni 'uârkârz uârk in 'faektoriz.
Muitos trabalhadores trabalham em fábricas.

Doctors and nurses treat sick people.
Dóktârz aend 'nârsiz tri:t sik pi:pâl.
Médicos e enfermeiras tratam de pessoas doentes.

Actors and actresses act in plays,
'Aektârs aend 'aektrissiz aekt in plêiz,
Atores e atrizes atuam em peças,

in the movies, or on TV.
in dhâ múviz, o:r ón ti:vi:.
no cinema ou na TV.

Artists paint pictures or make sculptures.
A:rtists peint píktchârz o:r meik 'skâlptchârz.
Artistas pintam quadros ou fazem esculturas.

An author writes books.
Æn ó:thâr raits buks.
Um autor escreve livros.

A musician plays the piano,
Â miuzíchân pleiz dhâ piánou,
Um músico toca piano,

violin, or other instrument.
váiâli:n o:r 'âdhâr ínstrumânt.
violino, ou outro instrumento.

> To play = *jogar, brincar ou tocar*
> To play *pode ser brincar ou jogar* — to play tennis, football, volleyball, cards, *etc.*
> To play *também pode ser "tocar":* to play the piano, the guitar, the flute, *etc.*

A mechanic repairs machinery.
Â me'kænik ri'pærz machíneri.
Um mecânico conserta máquinas.

The mailman or postman delivers the mail.
Dhâ mêilmæn o:r pôustmæn dilívârz dhâ meil.
O carteiro entrega a correspondência.

Taxi drivers drive taxis.
'Tæksi dráivârs draiv 'taeksiz.
Os motoristas de táxi dirigem táxis.

Firemen put out fires.
Fáiârmen put aut fáiârz.
Os bombeiros apagam incêndios.

The police direct traffic and arrest criminals.
Dhâ polís dairékt 'træfik ænd ârést kríminâlz.
A polícia dirige o tráfego e prende criminosos.

The police
Neste caso, police *refere-se a "policiais", por isso é plural.*

Omissão do artigo **the**
Quando se fala dos componentes de um grupo em geral, não se usa o the.

Americans travel a lot.
Os americanos viajam muito.

CONVERSAÇÃO: NUMA FESTA

— What a pleasant party!
Uót a plézânt pá:rti!
Que festa agradável!

— Yes, it is. The guests are very interesting.
Iés, it iz. Dhâ guésts a:r véri íntrâstin(g).
Sim, é. Os convidados são muito interessantes.

— Mrs. Kane has a great variety of friends.
Míssis Kein hæz â greit vâráiâti âv fréndz.
A Sra. Kane tem uma grande variedade de amigos.

Mais palavras semelhantes
Muitas palavras que em português terminam em -dade têm sua correspondente em inglês terminada por -ty.

variety = *variedade*
liberty = *liberdade*
dignity = *dignidade*
possibility = *possibilidade*
probability = *probabilidade*
necessity = *necessidade*
quality = *qualidade*
prosperity = *prosperidade*
reality = *realidade*
ability = *habilidade*
capacity = *capacidade*

Como você vê, seu vocabulário inglês está avançando in great steps — *"a passos largos".*

— In that group near the window
In dhæt gru:p níâr dhi uíndou
Naquele grupo perto da janela

there is a lawyer, a politician,
dhéâr iz â ló:iâr, â pâlitíchân,
há um advogado, um político,

an engineer, an architect,
æn endjiníâr, æn á:rkitekt,
um engenheiro, um arquiteto,

a stockbroker, and a baseball player.
â stókbroukâr, ænd â bêizbo:l plêiâr.
um corretor de valores e um jogador de beisebol.

> *O sufixo -er*
> *É muito freqüente, em inglês, obter-se o nome de uma profissão acrescentando-se o sufixo -er a um verbo:*
>
> | verbo | praticante ou profissional |
> |---|---|
> | to drive | driver |
> | to play | player |
> | to buy | buyer |
> | to travel | traveler |
> | to speak | speaker |
> | to work | worker |
> | to write | writer |
> | to read | reader |
> | to dance | dancer |

— It's quite a varied group.
Its kuait â 'værid gru:p.
É um grupo bem variado.

What do you think they are discussing,
Uót du iu: think dhei a:r dis'kâssin(g),
O que você acha que eles estão discutindo,

architecture, law, politics, the stock market...?
á:rkitâktchuâr, ló, pólitiks, dhâ stók má:rkit...?
arquitetura, direito, política, a bolsa...?

— Baseball, probably.
Bêizbo:l, próbâbli.
Beisebol, provavelmente.

— Do you know who that young woman is?
Du iu: nou hu: dhæt iân(g) uúmân iz?
Você sabe quem é aquela moça?

— Which one?
Uitch uân?
Qual?

— The one in the white dress.
Dhi uân in dhi uait drés.
A de vestido branco.

— She's a dancer with the National Ballet.
Chi's â 'dænsâr uidh dhâ 'Næshânâl 'Bælei.
Ela é dançarina no Balé Nacional.

Her name is Margot Fontaine.
Hâr nêim iz Ma:rgou Fon'tæn.
O nome dela é Margot Fontaine.

She's attractive, isn't she?
Chis a'træktiv, ízânt chi:?
Ela é bonita, não é?

— And who are the two men with her?
Ænd hu: a:r dhâ tu: mén uidh hâr?
E quem são os dois senhores com ela?

— The older one is a movie director,
Dhi ôuldâr uân iz â múvi diréktâr,
O mais velho é um diretor de cinema,

and the younger one is an actor.
ænd dhi i'ângâr uân iz æn æktâr.
E o mais jovem é um ator.

— But look who is coming in now.
Bât luk hu iz 'kâmin(g) in nau.
Mas veja quem está entrando agora.

> **To come = to enter**
> *Esses dois verbos se traduzem por "entrar". To come in é preferido em conversações informais. Ao se pedir para alguém entrar, diz-se simplesmente:* Come in!

It's Herb Savin, the famous explorer.
Its Hârb Sêivin, dhâ fêimâs eksplórâr.
É Herb Savin, o famoso explorador.

He's just back from an expedition to the Amazon jungle.
Hiz djâst bæk frâm æn ekspâdíshân tu dhi 'Æmâzon 'djângâl.
Ele acaba de chegar de uma expedição à selva amazônica.

— Yes, I know. There's an article about him in today's paper.
Iés, ai nou. Dhérz æn á:rtikâl abáut him in tudeiz pêipâr.
Sim, eu sei. Há um artigo sobre ele no jornal de hoje.

What an adventurous life!
Uót æn advéntchurâz laif!
Que vida cheia de aventuras!

— By the way, I know him.
Bai dhâ uei, ai nou him.
A propósito, eu o conheço.

Let's go talk with him about his last trip.
Lets gou tó:k uidh him abáut hiz læst trip.
Vamos conversar com ele a respeito da sua última viagem.

> **"Falar", "conversar"**
> *"Falar com" é* to speak to *ou* to speak with.
> *"Conversar com" é* to talk to *ou* to talk with.

TESTE SEU INGLÊS

Combine as frases abaixo, escrevendo os números ao lado das letras correspondentes. Conte 5 pontos para cada resposta correta.

1. Bus drivers ____ A. paint pictures.

2. Doctors ____ B. put out fires.

3. A businessman ____ C. plays the piano.

4. Artists ____ D. arrests criminals.

5. An author ____ E. repairs machinery.

6. A musician ____ F. works in an office.

7. A mailman ____ G. treats sick people.

8. Firemen ____ H. writes books.

9. A mechanic ____ I. delivers the mail.

10. The police ____ J. drive buses.

Traduza para o inglês as frases abaixo. Conte 10 pontos para cada tradução correta.

1. Que festa agradável!

2. Qual é a sua profissão?

3. O que eles estão discutindo agora?

4. A propósito, eu o conheço.

5. Vamos conversar com ele.

Primeiro exercício: _____ %

Segundo exercício: _____ %

Respostas: 1J; 2G; 3F; 4A; 5H; 6C; 7I; 8B; 9E; 10D. 1. What a pleasant party! 2. What is your profession? ou What work do you do? 3. What are they discussing now? 4. By the way, I know him. 5. Let's go talk with him.

Resultado: _____ %

passo 8 — DIAS, MESES, ESTAÇÕES E O TEMPO

The seven days of the week are:
Dhâ sévân deiz âv dhi ui:k a:r:
Os sete dias da semana são:

Monday, Tuesday, Wednesday, Thursday,
'Mândei, Tiúzdei, Uénzdei, 'Thârzdei,
segunda-feira, terça-feira, quarta-feira, quinta-feira,

Friday, Saturday and Sunday.
Fráidei, 'Saetârdei aend 'Sândei.
sexta-feira, sábado e domingo.

> *Maiúscula ou minúscula*
> *Em inglês, os nomes dos dias da semana e dos meses do ano se escrevem com inicial maiúscula. Assim, também, as nacionalidades e os nomes de idiomas.*

The twelve months of the year are called
Dhâ tuélv mânths âv dhi í:âr a:r kó:ld
Os doze meses do ano se chamam

January, February, March, April,
'Djænuâri, Fébruâri, Ma:rtch, Eiprâl,
janeiro, fevereiro, março, abril,

May, June, July, August,
Mei, Dju:n, Djulái, Ógâst,
maio, junho, julho, agosto,

September, October, November, December.
Septémbâr, Oktôbâr, Novémbâr, Dissémbâr.
setembro, outubro, novembro, dezembro.

January is the first month of the year.
'Djænuâri iz dhâ fârst mânth âv dhi Í:âr.
Janeiro é o primeiro mês do ano.

January 1st. is New Year's Day.
'Djænuâri fârst iz Niú Í:ârz Dei.
Primeiro de janeiro é o dia de Ano Novo.

We say to our friends: "Happy New Year!"
Uí sei tu áuâr fréndz: "'Hæpi Niú Í:âr"
Dizemos a nossos amigos: "Feliz Ano Novo!"

February is the second month.
Fébruâri iz dhâ sékând mânth.
Fevereiro é o segundo mês.

March is the third,
Ma:rtch iz dhâ thârd,
Março é o terceiro,

April is the fourth,
Êiprâl iz dhâ fo:rth,
abril é o quarto,

> *Os números ordinais*
> *A partir de* fourth *("quarto"), os números ordinais terminam em* th, *exceto as combinações com* first, second, third. *As datas, de forma abreviada, são escritas* 1st, 2nd, 3rd, 4th, 5th, *etc. e* 21st, 22nd, 23rd, 24th, *etc.*

and December is the last.
ænd Dissémbâr iz dhâ læst.
e dezembro é o último.

December 25th is Christmas Day.
Dissémbâr tuénti-fifth iz Krísmâs Dei.
O 25 de dezembro é dia de Natal.

We wish people "Merry Christmas!"
Uí uish pi:pâl "Méri Krísmâs!"
Desejamos às pessoas "Feliz Natal!"

> **Cumprimentos especiais**
> *Outras saudações utilizadas com freqüência são:*
>
> Happy Easter = *Feliz Páscoa*
> Happy Birthday = *Feliz Aniversário*
> Happy Anniversary = *Feliz Aniversário (não de nascimento)*

and we give presents to children,
aend uí guiv prézânts tâ tchíldrân,
e damos presentes às crianças,

to family members and to our friends.
tu 'faemili mémbârz aend tu áuâr fréndz.
aos membros da família e a nossos amigos.

In the United States
In dhi Iunáitid Steits
Nos Estados Unidos

July 4th is Independence Day.
Djulái fo:rth iz Indâpéndânz Dei.
4 de julho é o Dia da Independência.

Throughout the nation there are parades and fireworks.
Thruáut dhâ nêishân dhér a:r pârêidz aend fáiâr-uârks.
Por toda a nação há desfiles e queimas de fogos.

Spring, summer, autumn and winter
Sprin(g), 'sâmâr, ó:tâm aend uíntâr
Primavera, verão, outono e inverno

are the four seasons of the year.
a:r dhâ fo:r sí:zânz âv dhi í:âr
são as quatro estações do ano.

In the northern part of North America
In dhâ nó:rdhârn pa:rt âv No:rth Âmérikâ
Na parte norte da América no Norte

it is very cold in winter.
it iz 'véri kould in uíntâr.
faz muito frio no inverno.

> *Mudanças de tempo*
> Em inglês, para as condições climáticas mais evidentes usa-se o verbo to be.
>
> It is hot = *Está calor*
> It is cold = *Está frio*
> It is sunny = *Está fazendo sol*
> It is windy = *Está ventando*
> It is foggy = *Está com neblina*
> It is cloudy = *Está nublado*

It rains a lot in April,
It reinz â lót in Êiprâl,
Chove muito em abril,

and in May the flowers grow.
ænd in Mei dhâ fláuârz grou.
e em maio as flores crescem.

In summer it is hot almost everywhere.
In 'sâmâr its hót ó:lmoust évriuéâr.
No verão faz calor em quase todos os lugares.

In autumn the leaves change color
In ó:tâm dhâ li:vz tchændj kâlâr
No outono as folhas trocam de cor

and then fall from the trees.
ænd dhén fó:l fróm dhâ tri:z.
e depois caem das árvores.

> *Uma questão de ortografia*
> *Existem várias diferenças ortográficas entre o inglês britânico e o americano. Uma das principais é a grafia de palavras como* color, neighbor, honor, favor, humor, *que no inglês britânico se escrevem com* ou: colour, neighbour, honour, *etc.*

Since the United States is such a big country
Sins dhi Iunáitid Steits iz sâtch â big 'kântri
Visto que os Estados Unidos são um país tão grande

> *Singular ou plural*
> *Embora o nome do país esteja no plural e ele se componha de cinqüenta estados, em inglês a concordância é feita no singular,* ...the United States is...

there is a great variety in climate from place to place.
dhéâr iz â greit vâráiâti in kláimât fróm pleis tâ pleis.
há uma grande variedade de clima, de lugar para lugar.

Nowadays many Americans prefer to live
Náuâdeiz méni Âmérikâns pri'fâr tu liv
Hoje em dia muitos americanos preferem morar

in the sunny climate of the South,
in thâ 'sâni kláimât âv dhâ Sauth,
no ensolarado clima do sul,

in the dry Southwest or on the Pacific Coast.
in dhâ drai Sauth-uést o:r ón dhâ Pâssífik Koust.
no seco sudoeste ou na costa do Pacífico.

CONVERSAÇÃO: COMENTANDO O TEMPO

Everyone talks about the weather.
Évriuân tó:ks âbáut dhi uédhâr.
Todo o mundo fala sobre o tempo.

In spring, when the sun is shining,
In spring, uén dhâ sân iz cháinin(g),
Na primavera, quando o sol está brilhando,

and a pleasant breeze is blowing,
ænd â plézânt bri:z iz blôuin(g),
e uma brisa agradável está soprando,

we say: "What a beautiful day!"
uí sei: "Uót â biútiful dei!"
nós dizemos: "Que dia lindo!"

And when the night is clear,
Ænd uén dhâ nait iz klíâr,
E quando a noite está clara,

and we see the moon and the stars in the sky,
ænd uí: si: dhâ mu:n ænd dhâ sta:rz in dhâ skai,
e vemos a lua e as estrelas no céu,

we say: "What a wonderful evening!"
uí sei: "Uót â 'uândârful ívnin(g)!"
nós dizemos: "Que noite maravilhosa!"

> **Evening and night**
> Night *é o oposto de* day, *ou seja, "noite" em oposição a dia. Pode-se dizer que* evening *é a primeira parte da noite. Quando se faz uma visita depois das 18 horas, usa-*

se dizer good-evening *ao chegar* e good-night *ao se despedir.*

In the middle of summer we often observe:
In dhâ mídâl âv 'sâmâr uí ófân ob'zârv:
No meio do verão freqüentemente observamos:

"It's terribly hot, isn't it?"
"Its téribli hót, ízânit?"
"Está fazendo um calor terrível, não está?"

In autumn, when it is beginning to get cold,
In ó:tâm, uén its biguínin(g) tâ guét kould,
No outono, quando está começando a ficar frio,

we say: "It's rather cold today, don't you think so?"
uí sei: "Its 'rædhâr kould tudei, dónt iu: think sou?"
nós dizemos: "Está bastante frio hoje, você não acha?"

In winter we watch television
In uíntâr uí uótch telâvíjân
No inverno, nós assistimos à televisão

and we get weather reports like this:
ænd uí guét uédhâr ripó:rts laik dhis:
e recebemos boletins do tempo como este:

"The local forecast for tonight
"Dhâ lôukâl fó:rkæst fâr tunáit
"A previsão local para esta noite

indicates heavy snow throughout the Northeast.
índikeits hévi snou thru:áut dhâ No:rthi:st.
indica neve forte por todo o noroeste.

Ice on the roads makes driving hazardous.
Ais ón dhâ roudz meiks draivin(g) 'hæzârdâs.
A neve nas estradas torna perigoso dirigir.

There are traffic tie-ups on the highways.
Dhéâr a:r 'træfik tái-âps ón dhâ háiueiz.
Há bloqueios de tráfego nas estradas.

The police are warning motorists
Dhâ polís a:r uó:rnin(g) môutorists
A polícia está advertindo os motoristas

of the danger on the highways.
âv dhâ dêindjâr ón dhâ háiueiz.
sobre o perigo nas rodovias.

Weather conditions and temperatures
Uédhâr kondíshânz ænd têmprâtchurz
As condições de tempo e temperaturas

for principal cities follow this report.
fo:r prínsipâl sítis fólou dhis ripó:rt.
para as principais cidades seguem este relatório.

In general, the weather is seasonable
In djénârâl, dhi uédhâr iz sí:zânâbâl
Em geral, o tempo é o da estação

for the rest of the country
fo:r dhâ rést âv dhâ 'kântri
para o resto do país

except for Florida
eksépt fo:r Fló:ridâ
exceto para a Flórida

where a tropical storm with high velocity winds
uéâr â trópikâl sto:rm uidh hai velóssiti uindz
onde uma tempestade tropical com vento de alta velocidade

is forming in the ocean near the east coast."
iz fo:rming in dhi ôushiân níâr dhi i:st koust."
está se formando no oceano perto da costa leste."

TESTE SEU INGLÊS

Escreva a palavra certa nos espaços em branco. Conte 5 pontos para cada resposta correta.

1. Wednesday comes after _____ .

2. Friday comes before _____ .

3. The first month of the year is _____ .

4. The third month is _____ .

5. The last month of the year is _____ .

6. On Christmas Day we say " _____ " .

7. January 1st is _____ .

8. Spring, summer, autumn and _____ are the four seasons.

9. In New York the winter is very _____ .

10. In Florida the summer is very _____ .

Verta para o inglês as frases abaixo. Conte 10 pontos para cada resposta correta.

11. Em abril chove muito. _____ .

12. Na América há muita variedade no clima. _____ .

13. Todo o mundo fala sobre o tempo. _____ .

14. Que dia lindo! _____ !

15. Vemos a lua no céu. _____ .

Respostas: 1. Tuesday. 2. Saturday. 3. January. 4. March. 5. December. 6. Merry Christmas. 7. New Year's Day. 8. winter. 9. cold. 10. hot. 11. In April it rains a lot. 12. In America there is much variety in the climate. 13. Everyone talks about the weather. 14. What a beautiful day! 15. We see the moon in the sky.

Resultado: _____ %

passo 9 — VERBOS BÁSICOS, REVISÃO DOS PRONOMES COMO COMPLEMENTOS, O IMPERATIVO

We see with our eyes.
Uí si: uidh áuâr aiz.
Nós enxergamos com nossos olhos.

I see you.
Ai si: iu:.
Eu vejo você.

You see me.
Iú si: mi:.
Você me vê.

I don't see Mrs. Black.
Ai dónt si: Míssiz Blæk.
Eu não vejo a Sra. Black.

> *Omissão do artigo antes de nomes próprios*
> Note que no inglês não se usa o artigo the ("o", "a") antes do nome próprio.

Do you see her?
Du iu: si: hâr?
Você a vê?

No, I don't. She is not here.
Nou, ai dónt. Chi iz not híâr.
Não, não (a vejo). Ela não está aqui.

> *O inglês é lacônico*
> Don't *ou* do not, *nos exemplos acima, substituem o verbo e seu complemento, que aparecem entre parênteses na tradução.*

84

Também podem ser usados para ordens negativas:
Don't go! = Não vá!
Don't do it! = Não faça isso!

On television we watch movies, news, sports, etc.
Ón telâvíjân uí uótch múviz, niúz, spó:rts, etc.
Na televisão, nós assistimos a filmes, notícias, esportes, etc.

What program are you watching now?
Uót prou'græm a:r iu: uótchin(g) nau?
A que programa você está assistindo agora?

I'm looking at a special program about the sea.
Áim lúkin(g) æt â spéchâl prou'græm âbáut dhâ si:.
Estou vendo um programa especial sobre o mar.

Dois verbos por um
To watch e to look equivalem ambos a "ver", "assistir". Atenção: quando look tiver complemento, será preciso acrescentar at antes desse complemento.

When we look at television
Uén uí luk æt telâvíjân
Quando assistimos televisão

or listen to the radio
o:r líssân tâ dhâ rêidiou
ou escutamos rádio

we hear music, news and advertising.
uí híâr miúzik, niúz ænd ædvârtáizin(g).
nós ouvimos música, notícias e propaganda.

Propaganda
Esta palavra existe em inglês, mas é usada com sentido de "propaganda política". No sentido de propaganda comercial usa-se advertising.

We hear with our ears.
Uí híâr uidh áuâr í:ârz.
Nós escutamos com os nossos ouvidos.

Do you hear the telephone?
Du iu: híâr dhâ télâfoun?
Você está escutando o telefone?

No, I don't hear it.
Nou, ai dónt híâr it.
Não, não estou escutando.

Listen! What is that noise?
Líssân! Uótiz dhæt nóiz?
Escute! Que barulho é aquele?

It's a police siren in the street.
Its â polís sáirân in dhâ stri:t.
É uma sirene de polícia na rua.

> **To listen — to hear**
> Com to hear *("ouvir")* não se usa preposição antes do complemento. No entanto to listen *("escutar")*, quando tem complemento, é seguido da preposição to.
>
> I like to listen to music = *Eu gosto de escutar música.*

When I ask your name,
Uén ai æsk io:r nêim,
Quando eu pergunto o seu nome,

you tell it to me.
iu: tél it tâ mi:.
Você o diz para mim.

When someone tells you "Good morning",
Uén 'sâmuân télz iu: "Gud mórnin(g)",
Quando alguém lhe diz "Bom dia",

you answer him.
iú 'ænsâr him.
você lhe responde.

In a restaurant we ask the waiter for the menu.
In â réstrânt uí: æsk dhi uêitâr fo:r dhâ méniu.
Num restaurante, nós pedimos o cardápio ao garçom.

He gives it to us.
Hi guivz it tu âs.
Ele o dá a nós.

After the meal we ask him for the check.
Æftâr dhâ mi:l uí æsk him fo:r dhâ tchék.
Após a refeição pedimos a conta a ele.

He brings it to us and we pay it.
Hi brin(g)z it tu âs ænd uí pei it.
Ele a traz para nós e nós a pagamos.

He takes the money and gives it to the cashier.
Hi teiks dhâ 'mâni ænd guivz it tâ dhâ kâshíâr.
Ele leva o dinheiro e o dá ao caixa.

Then he brings us the change.
Dhen hi brin(g)z âs dhâ tchændj.
Depois ele nos traz o troco.

> ### Pronomes como objeto direto e indireto
> *Em inglês os pronomes objetos diretos e indiretos são os mesmos. A diferença está no seu uso: os pronomes com função de objeto indireto podem ser usados sem preposição, logo após o verbo; com preposição, após o objeto direto.*
>
> I send him the telegram = I send the telegram to him.
> *Eu envio o telegrama a ele.*
> Tell me your name = Tell your name to me.
> *Diga-me o seu nome.*

A driver asks a pedestrian:
Â dráivâr æsks â pidéstriân:
Um motorista pergunta a um pedestre:

"Is this the road to Miami?"
"Is dhis dhâ roud tâ Maiâmi?"
"Esta é a estrada para Miami?"

The pedestrian answers him:
Dhâ pidéstriân ænsârz him:
O pedestre lhe responde:

"No, it isn't.
"Nou, it ízânt.
"Não, não é.

Go straight for two streets.
Gou streit fo:r tu: stri:ts.
Siga reto mais duas ruas.

Then turn left.
Dhén târn léft.
Então vire à esquerda.

Stay on that road up to the traffic light.
Stei ón dhæt roud âp tâ dhâ 'træfik lait.
Fique nesta estrada até o semáforo.

Then turn right.
Dhén târn rait.
Então vire à direita.

That's the expressway for Miami.
Dhæts dhi ékspressuei fâr Maiâmi.
É a via expressa para Miami.

But be careful! There's a speed limit."
Bât bi: kéârful! Dhéârz â spi:d límit."
Mas cuidado! Há limite de velocidade."

The driver thanks him and follows his directions
Dhâ dráivâr thænks him ænd fólouz his dirékchânz
O motorista agradece-lhe e segue as suas indicações

to the expressway.
tu dhi ékspressuei.
para a via expressa.

A motorcycle policeman sees him and follows him.
Â môutârsaikâl polísmân si:z him ænd fólouz him.
Um policial de motocicleta o vê e o segue.

The driver doesn't see the policeman.
Dhâ dráivâr 'dâzânt si: dhâ polísmân.
O motorista não vê o policial.

But suddenly he hears the siren.
Bât 'sâdânli hi híârz dhâ sáirân.
Mas, de repente, ele ouve a sirene.

The policeman stops him.
Dhâ polísmân stóps him.
O policial o pára.

He says to him: "Are you in a big hurry?
Hi sé:z tâ him: "A:r iu: in â big 'hâri?
Ele lhe diz: "Está com muita pressa?

Show me your licence!
Chou mi: io:r láissâns!
Mostre-me a sua carta de motorista!

Your registration too."
Io:r redjistrêishân tu:."
O registro do carro também."

The driver gives them to him.
Dhâ dráivâr guivz dhem tâ him.
O motorista os dá para ele.

89

The policeman writes a ticket
Dhâ polísmân raits â tíkit
O policial preenche uma multa

and gives it to the driver.
aend guivz it tâ dhâ dráivâr.
e a dá para o motorista.

He also gives him back his papers.
Hi ólsou guivz him baek his pêipârz.
Ele também lhe devolve seus papéis.

Then he tells him: "Be careful in the future!"
Dhén hi télz him: "Bi kéârful in dhâ fiútchâr!"
Depois ele lhe diz: "Tenha cuidado no futuro!"

Mais expressões com **to be**
Aqui estão outras expressões em que usamos o verbo "ter" e nas quais, em inglês, usa-se o verbo to be:

to be careful = *ter cuidado*
to be in a hurry = *ter pressa*
to be lucky = *ter sorte*
to be unlucky = *ter azar*
to be funny = *ter graça, ser engraçado*
to be jealous = *ter ciúme*
to be successful = *ter sucesso*

CONVERSAÇÃO: DANDO ORDENS

A LADY:
Â lêidi:
Uma senhora:
   Clara, please bring me coffee and some toast.
   Kla:râ, pli:z brin(g) mi: kófi aend sâm toust.
   Clara, por favor, traga-me café e torradas.

THE MAID:
Dhâ meid:
A empregada:
   Here you are, ma'am.
   Híâr iu: a:r, mæm.
   Aqui está, senhora.

LADY:
   Thank you. Listen! There's someone at the door.
   Thænk iu:. Líssân! Dhéârz 'sâmuân æt dhâ do:r.
   Obrigada. Escute! Tem alguém à porta.

   Go see who it is.
   Gou si: hu: it iz.
   Vá ver quem é.

MAID:
   It's the boy from the market,
   Its dhâ bói fróm dhâ má:rkit,
   É o garoto do mercado,

   with the food order.
   uidh dhâ fu:d ó:rdâr.
   com as encomendas.

LADY:
Good. Tell him to put it on the kitchen table
Gud. Tél him tâ put it ón dhâ kítchân têibâl
Bom. Diga a ele para colocá-las sobre a mesa da cozinha

and to give the bill to you.
ænd tâ guiv dhâ bil tu iu:.
e para dar a conta a você.

> *O infinitivo substituindo o subjuntivo*
> *O subjuntivo quase não é usado em inglês. Em construções como estas acima, usa-se o infinitivo junto à segunda ordem dada.*
> *Em português, neste caso, emprega-se o subjuntivo ou o infinitivo. Observe:*
>
> Tell him to come.
> *Diga-lhe para vir. Diga-lhe que venha.*
>
> Tell her not to do it.
> *Diga-lhe para não fazê-lo. Diga-lhe que não o faça.*

Before he leaves give him this list for tomorrow.
Bifó:r hi li:vz guiv him dhis list fo:r tumórou.
Antes que ele se vá, dê a ele esta lista para amanhã.

MAID:
Certainly, ma'am.
'Sârtânli, mæm.
Pois não, senhora.

LADY:
Now I have to go to the hairdresser,
Nau ai hæv tâ gou tu dhâ heârdréssâr,
Agora eu tenho de ir ao cabeleireiro,

to have my hair done for tonight.
tâ hæv mai héâr dân fo:r tunáit.
para fazer o cabelo esta noite.

To have to
"Ter de" se expressa por to have to.

Tenho de vê-lo = I have to see him.

If anyone calls please take the message
If éniuân kó:lz pli:z teik dhâ méssâdj
Se alguém telefonar, por favor, receba o recado

and write it down.
ænd rait it dáun.
e anote-o.

To write down = *Anotar por escrito.*

While I am out, vacuum the rugs,
Uail ai æm aut, 'vækium dhâ râgz,
Enquanto eu estou fora, passe aspirador nos tapetes,

clean the dining room,
kli:n dhâ dáinin(g) ru:m,
limpe a sala de jantar,

and set the table for dinner.
ænd sét dhâ têibâl fâr dínâr.
e ponha a mesa do jantar.

MAID:
Is that all, ma'am?
Iz dhæt ó:l, mæm?
É só isso, senhora?

LADY:
No. There is something else.
Nou. Dhéâriz sâmthin(g) éls.
Não. Tem mais uma coisa. (alguma coisa)

There are two dresses on my bed.
Dhéâr a:r tu: dréssiz ón mai bed.
Há dois vestidos em cima da minha cama.

Put them on the back seat of the car.
Put dhem ón dhâ bæk si:t âv dhâ ka:r.
Ponha-os no banco de trás do carro.

Tell me, do you know where my keys are?
Tél mi, du iu: nou uéâr mai ki:z a:r?
Diga-me, você sabe onde estão minhas chaves?

MAID:
They are on the desk, beside your check book.
Dhei a:r ón dhâ desk, bissáid io:r tchék buk.
Estão na escrivaninha, ao lado do seu talão de cheque.

LADY:
Oh, now the telephone is ringing.
Ou, nau dhâ télâfoun iz rín(g)in(g).
Oh, agora o telefone está tocando.

Answer it, please.
Ænsâr it, pli:z.
Atenda, por favor.

Who is calling?
Hu: iz kó:lin(g)?
Quem é?

MAID:
It's my friend Tom.
Its mai frénd Tóm.
É o meu amigo Tom.

He is inviting me to the movies tonight.
Hi iz inváitin(g) me tâ dhâ múviz tunáit.
Ele está me convidando para o cinema hoje à noite.

LADY:
But we have guests for dinner...
Bât uí: hæv guests fo:r dínâr...
Mas nós temos convidados para o jantar...

Well, all right. Serve the dinner first
Uél, ó:l rait. Sârv dhâ dínâr fârst
Bem, está certo. Sirva o jantar primeiro

and go to the movies later.
ænd gou tu dhâ múviz lêitâr.
e vá ao cinema mais tarde.

TESTE SEU INGLÊS

Traduza para o português. Conte 5 pontos para cada resposta correta.

1. We see her. _____
2. Do you see me? _____
3. I hear him. _____
4. I don't see them. _____
5. He ask the waiter for the check. _____
6. He ask him for it. _____
7. He pays it. _____
8. Tell him to come. _____
9. Give him this list. _____
10. Answer the telephone please. _____

Verta para o inglês. Conte 10 pontos para cada resposta correta.

11. Ouvimos música no rádio. _____
12. Que barulho é aquele? Você está ouvindo? _____

13. Esta é a auto-estrada para Chicago? _____

14. Siga reto duas ruas. Dobre à direita. _____

15. Tenha cuidado! Há limite de velocidade. _____

Respostas: 1. Nós a vemos. 2. Você me vê? 3. Eu o escuto. 4. Não os vejo. 5. Ele pede a conta ao garçom. 6. Ele a pede. 7. Ele a paga. 8. Diga a ele para vir. 9. Dê a ele esta lista. 10. Atenda ao telefone, por favor. 11. We hear music on the radio. 12. What is that noise? Do you hear it? 13. Is this the expressway for Chicago? 14. Go on for two streets. Turn right. 15. Be careful! There's a speed limit.

Resultado: _____ %

passo 10 — USO DE VERBOS AUXILIARES REFERENTES A POSSIBILIDADE, NECESSIDADE E DESEJO

If we wish to eat at a restaurant
If uí uich tu i:t æt â réstrânt
Se desejamos comer num restaurante

we must have money — or a credit card.
uí mâst haev 'mâni — âr â krédit ka:rd.
temos de ter dinheiro — ou um cartão de crédito.

One cannot eat at a restaurant
Uân 'kænât i:t æt â réstrânt
Não se pode comer num restaurante

> One = "se"
> *em construções impessoais.*
>
> *Está muito escuro. Não dá para se enxergar nada.*
> It is very dark. One cannot see anything.

without paying the check.
uidháut pêin(g) dhâ tchék.
sem pagar a conta.

If we want to go to the movies
If uí uónt tu gou tâ dhâ múviz
Se queremos ir ao cinema

we must buy a ticket.
uí mâst bai â tíkit.
temos de comprar uma entrada.

Can — must
Estes verbos auxiliares se combinam com outros verbos, sem o to do infinitivo e o -s da terceira pessoa do singular.

He must go.
Ele precisa ir.

She can go.
Ela pode ir.

No caso dos verbos não auxiliares wish e want, o to do infinitivo e o -s da terceira pessoa são usados.

He wants to speak.
Ele quer falar.

If you wish to travel on a bus
If iu: uish tâ 'trævâl ón â bâs
Se você quer viajar de ônibus

or to take the subway
o:r tâ teik dhâ sâbuei
ou tomar o metrô

you have to pay the fare.
iu: hæv tâ pei dhâ féâr.
tem de pagar a passagem.

"Dever" e "querer"

dever = must, to have to
querer = to want, to wish

Porém, atenção! No sentido de "querer bem", não se pode usar o verbo to want. Para isso usamos to like ("gostar", "estimar") e to love ("amar").

When we drive a car
Uén uí draiv â ka:r
Quando dirigimos um carro

we should check the gas, oil, and water.
uí shud tchék dhâ gæs, óil, ænd uótâr.
deveríamos verificar a gasolina, o óleo e a água.

Should — ought to
You should see a doctor.
Você devia (deveria) ver um médico.

They ought to help their father.
Eles deviam (deveriam) ajudar o pai.

A car can't run without these.
Â ka:r cænt rân uidháut thi:z
Um carro não pode andar sem isso.

If you wish to make a long trip by car
If iu: uish tu meik â lón(g) trip bai ka:r
Se você quer fazer uma longa viagem de carro

you should go to a gas station
iu: chud gou tu â gæs stêishân
deveria ir a um posto de gasolina

to buy gas.
tu bai gæs.
para comprar gasolina.

At the gas station
Algumas frases úteis. Lembre-se, use please *ao fazer esses pedidos.*

Fill up the tank = *Encha o tanque.*
Check the oil = *Verifique o óleo.*
Check the tires = *Verifique os pneus.*
Check the battery = *Verifique a bateria.*
This is broken = *Isto está quebrado.*
Can you fix it? = *Pode consertá-lo?*
Clean the windshield = *Limpe o pára-brisa.*

Two young women have a problem.
Tu: iân(g) uímen hæv â próblâm.
Duas jovens têm um problema.

Their car has a flat tire.
Dhéâr ka:r hæz â flæt taiâr.
O carro delas está com um pneu vazio.

They can't change it themselves
Dhei kænt tchændj it dhemsélvz
Elas não podem trocá-lo sozinhas

because they need a jack.
bikóz dhei ni:d â djæk.
porque precisam de um macaco.

A young man arrives in a sports car.
Â iân(g) mæn aráivz in â spo:rts ka:r.
Um rapaz chega num carro esporte.

He asks them: "May I help you?"
Hi æsks dhem: "Mei ai hélp iu:?"
Ele lhes pergunta: "Posso ajudá-las?"

> **Can — may**
> *Quando se pede permissão, pode-se usar* can *ou* may. *O último é mais formal, e deve ser usado sempre que se fala a um estranho:*
>
> *Posso sentar-me aqui?* = May I sit here?

— Yes, indeed! Could you lend us a jack?
Iés, indí:d! Kud iú lend âs â djæk?
Sim, claro! Você poderia nos emprestar um macaco?

— I could do even more, he says.
Ai kud du ívân mo:r, hi sé:z.
Posso fazer ainda mais, ele diz.

I can change the tire for you.
Ai kæn tchændj dhâ taiâr fâr iu:.
Posso trocar o pneu para vocês.

CONVERSAÇÃO: VIAJANDO DE AVIÃO

A MAN:
Â mæn:
Um homem:
   Do you have an early flight
   Du iu: hæv ân 'ârli flait
   Vocês têm um vôo matinal

   to New York tomorrow?
   tu Niú Ió:rk tumórou?
   para Nova York amanhã?

AIRLINE CLERK:
Éârlain klârk
Funcionário da companhia:
   Yes. Flight 121 is a direct flight.
   Iés. Flait uân tu: uân iz â dirékt flait.
   Sim. O vôo 121 é um vôo direto.

   It leaves at 9:50 a.m.
   It li:vz æt náin-fífti ei æm.
   Parte às 9:50 da manhã

   and arrives at 12:15 p.m.
   ænd aráivz æt tuélv fiftí:n pi: æm.
   e chega às 12:15 da tarde.

MAN:
   That's too late.
   Dhæts tu: leit.
   É tarde demais.

I have to be there before noon.
Ai haev tu bi dhéâr bifó:r nu:n.
Eu tenho de estar lá antes do meio-dia.

Can't you put us on a flight
Kaent iú put âs ón â flait
Não pode nos colocar num vôo

that leaves earlier?
dhaet li:vz 'ârliâr?
que saia mais cedo?

CLERK:
Well, you could take flight 906.
Uél, iú kud teik flait náin-ou-siks.
Bem, vocês poderiam pegar o vôo 906.

It leaves at 7:30 a.m.
It li:vz aet sévân-thârti ei aem.
Parte às 7:30 da manhã.

THE MAN'S WIFE:
Dhâ maenz uaif:
A esposa do homem:
But dear, it takes an entire hour
Bât díâr, it teiks ân entáiâr áuâr
Mas, querido, leva uma hora

to get to the airport.
tu guet tu dhi éârpo:rt.
para chegar ao aeroporto.

I don't want to get up so early.
Ai dónt uónt tu guet âp sou 'ârli.
Eu não quero levantar tão cedo.

MAN:
I'm sorry, but I can't arrive late for the conference.
Áim sóri, bât ai kaent aráiv leit fâr dhâ 'kânfrâns.
Lamento, mas não posso chegar tarde para a conferência.

WIFE:

All right then, if you think
Ó:l rait dhén, if iu: think
Está bem, então, se você acha

it's so important.
its sou impó:rtânt.
que é tão importante.

CLERK:

Do you wish to travel first class or tourist?
Du iu: uish tâ 'trævâl fârst klæs ó:r túrist?
Vocês querem viajar na primeira classe ou turística?

MAN:

What's the difference in the cost?
Uóts dhâ dífrâns in dhâ kóst?
Qual a diferença de preço?

CLERK:

First class is $270.
Fârst klæs iz tu: hândrid sévânti dólârz.
A primeira classe é $270 (dólares).

Tourist class costs $185
Túrist klæs kósts uân hândrid êiti-faiv dólârz
A classe turística custa $185 (dólares)

including tax.
inklúdin(g) tæks.
incluindo o imposto.

MAN:

Give me two tickets tourist class.
Guiv mi tu: tíkits túrist klæs.
Dê-me duas passagens de classe turística.

CLERK:
>One way or round trip?
>**Uân uei ó:r raund trip?**
>*Ida ou ida e volta?*

MAN:
>Round trip. But leave the return open.
>**Raund trip. Bât li:v dhâ ri'târn ôupân.**
>*Ida e volta. Mas deixe a volta em aberto.*

>We may have to stay in New York for a week.
>**Uí mei hæv tu stei in Niú Ió:rk fâr â uí:k.**
>*Pode ser que tenhamos de ficar em Nova York por uma semana.*

>>**May — might**
>>May *indica permissão ou possibilidade, probabilidade. A sua forma do passado,* might, *é usada para indicar uma probabilidade remota.*
>>*O verbo após* may, might *vem sempre no infinitivo, sem* to.

WIFE:
>I hope so. While you are at your meetings
>**Ai houp sou. Uail iú a:r æt io:r mí:tin(g)z**
>*Espero que sim. Enquanto você estiver em suas reuniões*

>I can go shopping.
>**Ai kæn gou chópin(g).**
>*eu posso fazer compras.*

>>**To go *com gerúndio***
>>*As construções abaixo são muito usadas. O uso do gerúndio é freqüente em inglês.*
>>
>>   to go swimming = *ir nadar*
>>   to go riding = *ir passear*
>>   to go dancing = *ir dançar*
>>   to go skating = *ir patinar*
>>   to go walking = *ir dar um passeio a pé*

CLERK:
Please arrive at the airport
Pli:z aráiv æt dhi éârpo:rt
Por gentileza, cheguem ao aeroporto

one hour before flight time.
uân auâr bifó:r flait táim.
uma hora antes do horário do vôo.

WIFE:
Why must we get there so early?
Uái mâst uí guet dhéâr sou 'ârli?
Por que temos de chegar tão cedo?

CLERK:
It's necessary for passenger
Its néssâsseri fo:r 'pæssândjâr
É necessário para o registro

and baggage check-in
ænd bægâdj tchék-in
dos passageiros e da bagagem

and for passing through security control.
ænd fo:r 'pæssin(g) thru: sikiúriti kântrôul.
e para passar pelo controle de segurança.

Have a nice trip!
Hæv â nais trip!
Tenham uma boa viagem!

Traveling by plane
As frases abaixo estão entre as mais usadas por quem viaja de avião.

Which is the gate for flight 121? = *Qual é o portão para o vôo 121?*
When is the meal served? = *Quando é servida a refeição?*

At what time do we arrive? = *A que horas chegamos?*
Where is the baggage delivered? = *Onde se entrega a bagagem?*
Why is the plane delayed? = *Por que o avião está atrasado?*
Is flight 474 on time? = *O vôo 474 está no horário?*
Aisle seat or window seat? = *Cadeira junto ao corredor ou à janela?*
Smoking or non-smoking department? = *Em lugar para fumantes ou não-fumantes?*

TESTE SEU INGLÊS

Complete as frases de acordo com o que acabou de estudar no Passo 10. Conte 10 pontos para cada resposta correta.

1. If we want to go to the movies _____

2. If we wish to eat at a restaurant _____

3. We cannot eat at a restaurant _____

4. If you wish to travel on a bus _____

5. When we drive a car we should _____

6. A car cannot run without _____

7. You should go to a gas station _____

8. To change a flat tire _____

9. On a plane we can travel _____

10. At an airport we must _____

Respostas: 1. we must buy a ticket. 2. we must have money or a credit card. 3. without paying the check. 4. you have to pay the fare. 5. check the gas and oil. 6. gas and oil. 7. to buy gas. 8. you need a jack. 9. first class or tourist. 10. pass through security control.

Resultado: _____ %

passo 11 VERBOS PRONOMINAIS E VERBOS COM PREPOSIÇÕES — COMEÇANDO O DIA

Suddenly the alarm clock rings.
'Sâdenli dhi â'lârm klók ringz.
De repente o despertador toca.

Mr. Wilson wakes up.
Místâr Uílsân ueiks âp.
O Sr. Wilson acorda.

He shuts the alarm clock off,
Hi shâts dhi â'lârm klók óf,
Desliga o despertador

and gets up out of bed.
ænd guets âp aut âv bed.
e se levanta da cama.

> *Preposições com verbos*
> *Note como as preposições são empregadas junto a verbos para lhes dar um sentido especial, geralmente ligado ao sentido da preposição. Muitos desses verbos com preposições correspondem a verbos pronominais em português.*
>
> to sit down = *sentar-se*
> to get up = *levantar-se*

He washes, shaves,
Hi uóchiz, cheivz,
Ele se lava, se barbeia,

brushes his teeth,
'brâchiz his ti:th,
escova seus dentes,

combs and brushes his hair,
kómz aend 'brâchiz hiz héâr,
penteia e escova seus cabelos

and then gets dressed.
aend dhen guets drést.
e depois se veste.

A little later his wife gets up.
Â lídâl lêitâr hiz uaif guets âp.
Um pouco mais tarde sua esposa se levanta.

She starts to prepare breakfast.
Chi sta:rts tu pripéâr brékfâst.
Ela começa a preparar o café da manhã.

The children get up and dress themselves.
Dhâ tchíldrân guet âp aend drés dhemsélvz.
As crianças se levantam e se vestem.

Then they all sit down at the table
Dhen dhei ó:l sit dáun aet dhâ têibâl
Então todos se sentam à mesa

to have breakfast.
tâ haev brékfâst.
para tomar o café da manhã.

> *Como traduzir o "se" reflexivo*
> *O "se" reflexivo não tem um equivalente exato, em inglês. Com certos verbos cuja ação recai sobre o próprio sujeito, usam-se os pronomes reflexivos. Esses pronomes vêm depois do verbo e terminam em* self, *para as pessoas do singular, e* selves, *para as pessoas do plural.*

myself = *me*
yourself = *se, te*
himself = *se*
herself = *se*
itself = *se*
ourselves = *nos*
yourselves = *se*
themselves = *se*

Elas se lavam = They wash themselves.
Ela se olha no espelho = She looks at herself in the mirror.
Eu me barbeio = I shave myself.

After breakfast Mr. Wilson
Aeftâr brékfâst Místâr Uílsân
Após o café o Sr. Wilson

puts on his coat and hat,
puts ón hiz kout ænd hæt,
veste seu casaco e chapéu,

takes his briefcase,
teiks hiz brí:fkeis,
pega sua maleta,

kisses his wife,
kíssiz hiz uaif,
beija sua mulher

and goes off to work.
ænd gouz óf tu uârk.
e sai para trabalhar.

The children go off to school.
Dhâ tchíldrân gou óf tâ sku:l.
As crianças saem para a escola.

Mr. Wilson walks to the corner.
Místâr Uílsân uóks tâ dhâ kó:rnâr.
O Sr. Wilson anda até a esquina.

He gets on the bus.
Hi guets ón dhâ bâs.
Ele toma o ônibus.

When the bus gets to his stop,
Uén dhâ bâs guets tu hiz stop,
Quando o ônibus chega ao seu ponto,

he gets off.
hi guets óf.
ele desce.

He goes into an office building,
Hi gouz íntu æn ófis bíldin(g),
Entra num edifício comercial,

gets into an elevator,
guets íntu æn elâvêitâr,
entra num elevador,

and goes up to his office.
ænd gouz âp tu hiz ófis.
e sobe para o seu escritório.

> *Preposições com verbos*
> *Verbos como* to go, to get, to put, *etc. podem ser seguidos por preposições que lhes dão um sentido especial, geralmente ligado ao sentido da preposição. Assim:*
>
> to get up = *levantar-se*
> to put on = *vestir, colocar*
> to go off = *sair*
> to get into = *entrar*
> to go up = *subir*

CONVERSAÇÃO: A CAMINHO DA REUNIÃO DE NEGÓCIOS

— Hurry up! We're going to be late for the meeting.
Hâri âp! Uíâr gôuin(g) tu bi leit fo:r dhâ mí:tin(g).
Depressa! Vamos chegar tarde para a reunião.

— Calm down! We still have time.
Ka:m daun! Uí stil hæv táim.
Calma! Ainda temos tempo.

— Let's see... What more do we need?
Léts si:... Uót mo:r du uí ni:d?
Vamos ver... O que mais nós precisamos?

— Don't forget to bring the financial reports
Dónt fo:rguét tâ brin(g) dhâ fai'nænchâl ripó:rts
Não se esqueça de trazer os relatórios financeiros

— and the correspondence relating to the contract.
ænd dhâ kârispóndâns rilêitin(g) tâ dhâ kon'trækt.
e a correspondência relativa ao contrato.

— There! Everything is ready!
Dhéâr! Évrithin(g) iz rédi.
Já! Está tudo pronto!

— Where is the car?
Uéâr iz dhâ ka:r?
Onde está o carro?

— It's across the street, in the parking lot.
Its âkrós dhâ stri:t, in dhâ pá:rkin(g) lót.
Está do outro lado da rua, no estacionamento.

— Wait! The most important thing of all —
Ueit! Thâ moust impó:rtânt thin(g) âv ó:l —
Espere! o mais importante de tudo —

the contract! Where is it?
dhâ kon'trækt! Uéâr iz it?
o contrato! Onde está?

— Don't worry! I have it here.
Dónt uâri! Ai hæv it híâr.
Não se preocupe! Eu estou com ele aqui.

Look; I know you are excited and worried.
Luk; ai nou iu: a:r eksáitid ænd uârid.
Olhe; eu sei que você está agitado e preocupado.

But take it easy!
Bât teik it 'i:zi!
Mas vá com calma!

And above all,
Aend â'bâv ó:l,
E, sobretudo,

don't get nervous during the meeting!
dónt guet 'nârvâs diúring dhâ mí:tin(g)!
não fique nervoso durante a reunião!

Everything is going to come out fine.
Évrithin(g) iz gôuin(g) tu kâm aut fáin.
Tudo vai dar certo.

> *Uma informação lingüística*
> *O inglês tem um vocabulário muito rico, composto por palavras originárias do anglo-saxão e do francês, uma língua latina, como o português. O francês se sobrepôs ao inglês com a conquista da Inglaterra pelos franco-normandos, em 1066.*
> *Assim, é muito freqüente encontrarmos, com um mes-*

mo significado, um verbo de origem saxônica e outro de origem latina. Veja alguns exemplos:

get in = enter *(entrar em)*
understand = comprehend *(observar, olhar para)*
think about = consider *(compreender)*
call up = telephone *(telefonar)*
call on = visit *(visitar)*
pick out = select *(selecionar, escolher)*
find out = discover *(descobrir)*
get off = descend from *(descer de)*
get away = escape *(escapar, fugir)*
go wrong = fail *(falhar)*

Em geral, os verbos de origem anglo-saxônica são usados com mais freqüência na conversação diária.

TESTE SEU INGLÊS

Faça a correspondência entre os verbos em inglês, da segunda coluna, com sua tradução em português. Conte 5 pontos para cada resposta correta.

1. obter   ____ to go in

2. acordar   ____ to get off

3. levantar-se   ____ to have breakfast

4. entrar   ____ to shave

5. subir   ____ to get

6. descer de   ____ to wash

7. pôr, vestir   ____ to get on

8. lavar-se   ____ to get up

9. barbear-se   ____ to wake up

10. tomar o café da manhã   ____ to put on

Verta para o inglês os seguintes imperativos. Conte 10 pontos para cada resposta correta.

11. Apresse-se!   _____

12. Espere um minuto!   _____

13. Não se preocupe!   _____

14. Não fique nervoso! _____

15. Não esqueça!   _____

Respostas: 4, 6, 10, 9, 1, 8, 5, 3, 2, 7; 11. Hurry up! 12. Wait a minute! 13. Don't worry! 14. Don't get nervous! 15. Don't forget!

                    Resultado: _____ %

passo 12 PREFERÊNCIAS E COMPARAÇÕES

It is a summer day on the beach.
Its â 'sâmâr dei ón dhâ bi:tch.
É um dia de verão na praia.

The sky is light blue
Dhâ skai iz lait blu:
O céu está azul-claro

with white clouds.
uidh uait klaudz.
com nuvens brancas.

The sea is dark blue.
Dhâ si: iz da:rk blu:.
O mar está azul-escuro.

Three girls are sitting on the sand.
Thri: gârlz a:r sítin(g) ón dhâ sænd.
Três garotas estão sentadas na areia.

They don't want to swim.
Dhei dónt uónt tu suim.
Elas não querem nadar.

The water is cold and there are big waves.
Dhi uótâr iz kould ænd dhéâr a:r big ueivz.
A água está fria e há grandes ondas.

But the sun is hot.
Bât dhâ sân iz hót.
Mas o sol está quente.

They prefer to get tanned in the sun.
Dhei pri'fâr tu guet tænd in dhâ sân.
Elas preferem bronzear-se ao sol.

One of them has a red and yellow bathing suit.
Uân âv dhem hæz â réd ænd iélou bêidhin(g) su:t.
Uma delas tem um maiô vermelho e amarelo.

The suit of another is green.
Dhâ su:t âv â'nâdhâr iz gri:n.
O maiô de uma outra é verde.

The third one is wearing a black bikini.
Dhâ thârd uân iz uéârin(g) â blæk bikíni.
A terceira está usando um biquíni preto.

What color is it?
Veja os nomes das cores principais:

blue = *azul*	purple = *roxo*
red = *vermelho*	gray = *cinza*
yellow = *amarelo*	brown = *marrom*
orange = *alaranjado*	white = *branco*
green = *verde*	lilac = *lilás*
pink = *cor-de-rosa*	

Near the girls some boys are singing
Níâr dhâ gârls sâm bóiz a:r sín(g)in(g)
Perto das garotas alguns rapazes estão cantando

and one of them is playing a guita:r.
ænd uân âv dhem iz plêin(g) â guita:r.
e um deles está tocando um violão.

The gilrs are listening to the music.
Dhâ gârls a:r líssânin(g) tâ dhâ miúsik.
As garotas estão escutando a música.

The boys like to sing
Dhâ bóiz laik tâ sin(g)
Os rapazes gostam de cantar

and the girls are delighted to listen.
ænd dhâ gârlz a:r diláitid to líssân.
e as garotas estão encantadas em escutar.

A blond girl says to a dark haired one,
Â blónd gârl sé:z tu â da:rk héârd uân,
Uma loira diz para uma de cabelos escuros,

"They sing very well. Don't you think so?"
"Dhei sin(g) véri uél. Dónt iu: think sou?"
"Eles cantam muito bem. Você não acha?"

"I agree", replies the brunette.
"Ai âgri:", riplaiz dhâ brunét.
"Eu concordo", responde a morena.

"They all sing well, but the one on the left
"Dhei ó:l sin(g) uél, bât dhi uân ón dhâ léft
"Eles todos cantam bem, mas o da esquerda

sings better than the others."
sin(g)z bétâr dhæn dhi 'âdhârz."
canta melhor que os outros."

"You are wrong", says the third girl.
"Iu: a:r rón(g)", sé:z dhâ thârd gârl.
"Você está errada", diz a terceira garota.

"The one who is on the right
"Dhi uân hu: iz ón dhâ rait
"O que está à direita

sings the best of all."
sin(g)z dhâ bést âv ó:l."
canta melhor que todos."

> *Graus dos advérbios*
> *O comparativo e o superlativo são construídos com* more *e* most:

slowly - more slowly - the most slowly
devagar - mais devagar - o mais devagar
Algumas exceções:

well	better	the best
bem	*melhor*	*o melhor*
bad	worse	the worst
mau	*pior*	*o pior*
little	less	the least
pouco	*menos*	*o mínimo*

After a while the boys stop singing.
Aeftâr â uail dhâ bóiz stóp sín(g)in(g).
Um pouco depois, os rapazes param de cantar.

One says to another:
Uân sé:z tu â'nâdhâr:
Um diz ao outro:

"Those girls are really pretty, aren't they?
"Dhouz gârls a:r riâli príti, á:rânt dhei?
"Essas garotas são realmente bonitas, não são?

> *Buscando confirmação*
> *Quando queremos apenas confirmação do que estamos dizendo, como "não acha?", "não é?", etc., usamos a* question tag, *em inglês, ou seja, uma forma verbal ao final da frase. Se a frase for afirmativa, a* question tag *será negativa, e vice-versa:*
>
> He is rich, isn't he?
> She doesn't speak Russian, does she?

I think the brunette is the prettiest."
Ai think dhâ brunét iz dhâ prítiâst."
Eu acho a morena a mais bonita."

"That's not true", says his friend.
"Dhæts nót tru:", sé:z hiz frénd.
"Isso não é verdade", diz seu amigo.

"The blond is prettier than she."
"Dhâ blónd iz prítiâr dhæn chi:"
"A loira é mais bonita que ela."

"You are both wrong", says the third.
"Iu: a:r bouth rón(g)", sé:z dhâ thârd.
"Vocês dois estão errados", diz o terceiro.

"Anyone can see that the redhead
"Éniuân kæn si: dhæt dhâ rédhæd
"Qualquer um pode ver que a ruiva

is the prettiest of all."
iz dhâ prítiâst âv ól."
é a mais bonita de todas."

Grau dos adjetivos
Se o adjetivo tiver uma sílaba, o comparativo e o superlativo serão formados, respectivamente, com o acréscimo de er *e* est:

big - bigger - the biggest
grande - maior - o maior

hot - hotter - the hottest
quente - mais quente - o mais quente

cold - colder - the coldest
frio - mais frio - o mais frio

Exceções: right, wrong, real, just, *que se fazem com* more *e* most

Se o adjetivo tiver duas ou mais sílabas, o comparativo e o superlativo serão formados, respectivamente, com o uso de more *e* most:

modern - more modern - the most modern
moderno - mais moderno - o mais moderno

intelligent - more intelligent - the most intelligent
inteligente - mais inteligente - o mais inteligente

Exceções: adjetivos que terminam em y, le, er, ow formam o comparativo e o superlativo com os sufixos -er *e* -est:

    pretty - prettier - the prettiest
    bonita - mais bonita - a mais bonita

    simple - simpler - the simplest
    simples - mais simples - o mais simples

    clever - cleverer - the cleverest
    inteligente - mais inteligente - o mais inteligente

    narrow - narrower - the narrowest
    estreito - mais estreito - o mais estreito

Algumas formas irregulares:

    good - better - the best
    bom - melhor - o melhor

    bad - worse - the worst
    ruim - pior - o pior

CONVERSAÇÃO: COMPRAS

A LADY (TO HER HUSBAND):
Â lêidi (tu hâr 'hâsbând):
Uma senhora (para o seu marido):
  We must buy some presents
  Uí mâst bai sâm prézânts
  Nós temos de comprar alguns presentes

while we are in New York.
uail uí a:r in Niú Ió:rk.
enquanto estamos em Nova York.

This looks like a nice store. Let's go in.
Dhis luks laik â nais sto:r. Léts gou in.
Esta loja parece boa. Vamos entrar.

> *O imperativo com* **let**
> *Usa-se* let *para formar o imperativo para a primeira pessoa do plural:*
>
>   Let's leave = *Vamos sair.*
>   Let's see = *Vamos ver.*
>
> Let, *em outro contexto, tem o sentido de "permitir" ou "deixar":*
>
>   Let me think = *Deixe-me pensar.*
>   Let him in = *Deixe-o entrar.*
>   Let me ask you = *Permita-me perguntar-lhe.*

AN EMPLOYEE:
Ân imploí:
Uma balconista:
   May I help you, madam?
   Mei ai hélp iu:, mædâm?
   Posso ajudá-la, senhora?

LADY:
   Yes, indeed. Please show us some silk scarves.
   Iés, indi:d. Pli:z chou âs sâm silk ska:rvs.
   Sim, realmente. Por favor, mostre-nos alguns lenços de seda.

EMPLOYEE:
   Here are two of our newest styles.
   Hiâr a:r tu: âv áuâr niúâst stailz.
   Estes são dois dos nossos modelos mais recentes.

   They are both signed by the designer.
   Dhei a:r bouth saind bai dhâ dizáinâr.
   Ambos são assinados pelo designer.

   Do you like them?
   Du iu: laik dhem:?
   A senhora gosta deles?

> *A voz passiva*
> *Para formar o presente da voz passiva, usam-se as formas do presente do verbo* to be, *juntamente com o particípio passado do verbo principal. O particípio passado será apresentado com maiores detalhes nos passos 15 e 16.*
>
>   Can this watch be fixed? = *Este relógio pode ser consertado?*
>   English is spoken = *Fala-se inglês.*

LADY:
   I prefer this one.
   Ai prifâr dhis uân.
   Eu prefiro este.

The colors are more cheerful
Dhâ 'kâlârz a:r mo:r tchi:rful.
As cores são mais alegres

and the design is more interesting.
aend dhâ dizáin iz mo:r íntrâstin(g).
e a estampa é mais interessante.

How much is it?
Hau mâtch iz it?
Quanto é?

EMPLOYEE:
Forty-five dollars, madam.
Fó:rti-faiv dólârz, maedâm.
Quarenta e cinco dólares, senhora.

LADY:
Really? That's rather expensive.
Ríâli? Dhaets 'raedhâr ekspênsiv.
Realmente? É bastante caro.

Perhaps you have something that costs a little less.
Pâr'haeps iu: haev sâmthin(g) dhaet kósts â lídâl lés.
Talvez você tenha alguma coisa que custe um pouco menos.

EMPLOYEE:
Yes, we have. But they are not pure silk.
Iés, uí haev. Bât dhei a:r nót píuâr silk.
Sim, temos. Mas não são de seda pura.

How do you like these?
Hau du iu: laik dhi:z?
O que acha destes?

We have a wide selection in different colors.
Uí haev â uaid sâlékchân in dífrânt 'kâlârz.
Nós temos uma ampla seleção em diferentes cores.

They are less expensive, only $29.95.
Dhei a:r lés ekspênsiv, ônli tuénti-náin náinti-faiv.
Eles são menos caros, apenas vinte e nove dólares e noventa e cinco centavos.

LADY:
Good. Let's buy this violet one for Aunt Isabel.
Gud. Léts bai dhis váiâlit uân fo:r Aent Ízâbel.
Ótimo. Vamos comprar este violeta para a tia Isabel.

HUSBAND:
I agree. And what do you suggest for Mother?
Ai âgrí:. Aend uót du iu: sâdjést fo:r 'Mâdhâr?
Concordo. E o que você sugere para a mamãe?

EMPLOYEE:
Look at this beautiful necklace, sir.
Luk aet dhis biútiful nékleis, sâr.
Olhe este lindo colar, senhor.

It costs only $75.
It kósts ônli sévânti-faiv dólârz.
Custa apenas $75.

LADY:
Should we buy it, dear?
Chud uí bai it, díâr?
Devemos comprá-lo, querido?

HUSBAND:
Why not? Here is my credit card.
Uai nót? Híâr iz mai krédit ka:rd.
Por que não? Aqui está o meu cartão de crédito.

By the way, I really should buy
Bai dhi uei, ai ríâli chud bai
A propósito, eu realmente deveria comprar

127

something for my secretary.
sâmthin(g) fo:r mai sékrâtæri.
alguma coisa para a minha secretária.

Those earrings over there... May I see them?
Dhouz íârin(g)z ôuvâr dhéâr. Mei ai si: dhem?
Aqueles brincos ali... Posso vê-los?

EMPLOYEE:
Certainly, sir. They are made of pure gold.
'Sârtânli, sâr. Dhei a:r meid âv piúâr gould.
Certamente, senhor. Eles são feitos de ouro puro.

LADY:
Alfred, for heavens sake!
'Ælfrid, fo:r hévânz seik!
Alfredo, por Deus!

We can't spend so much money
Uí kænt spénd sou mâtch 'mâni
Nós não podemos gastar tanto dinheiro

on a present for your secretary.
ón â prézânt fo:r io:r sékrâtæri.
num presente para a sua secretária.

In any case,
In éni keis,
De qualquer modo,

those earrings can't be worn in the office.
dhouz íârin(g)z kænt bi uórn in dhi ófis.
aqueles brincos não podem ser usados no escritório.

Why not get her a scarf?
Uai nót guet hâr â ska:rf?
Por que não comprar um lenço de pescoço para ela?

Here is a pretty one.
Híâr iz â príti uân.
Aqui está um bonito.

It shows an illustrated street plan of Manhattan.
It chouz ân ilustrêitid stri:t plæn âv Mæn'hætân.
Mostra o mapa ilustrado das ruas de Manhattan.

It would be an attractive souvenir.
It uúd bi ân â'træktiv súvânir.
Seria um suvenir interessante (bonito).

HUSBAND:
Well... all right, then.
Uél... ó:l rait, dhén.
Bem... está certo, então.

Can it be gift wrapped?
Kæn it bi guift ræpt?
Pode embrulhar para presente?

EMPLOYEE:
Madam, don't you wish to look at the earrings?
'Mædâm, dónt iú uích tu luk æt dhi íârin(g)z?
Senhora, não quer ver os brincos?

> *Vocabulário*
> *Note como o vendedor diz* Madam *em vez de* Ma'am,
> *que também é usado. No entanto, em lojas sofisticadas,*
> *onde a linguagem é mais formal,* Madam *é mais polido*
> *e adequado.*
> *Outras expressões úteis para quando se fazem compras:*
>
> I'm just looking = *Só estou olhando.*
> Please show me... = *Por favor, mostre-me...*
> this one, that one = *este, aquele*
> another color = *uma outra cor*
> larger, smaller = *maior, menor*
> something cheaper = *alguma coisa mais barata*

Where's the changing room = *Onde é o provador?*
Please send it = *Por favor, mande-o*
... to my hotel = *em meu hotel*
... to this address = *neste endereço*
I'm going to take it with me = *Vou levá-lo comigo.*
I'd like a receipt, please = *Gostaria de um recibo, por favor.*

LADY:

Yes. They are beautiful — and very well made.
Iés. Dhey a:r biútiful — aend véri uél meid.
Sim. Eles são lindos — e muito bem-feitos.

But I suppose that they are very expensive.
Bât ai sâpôuz dhaet dhei a:r véri ekspênsiv.
Mas suponho que eles sejam muitos caros.

EMPLOYEE:

That's true, but they are of the best quality.
Dhaets tru:, bât dhei a:r âv dhâ bést kuóliti.
É verdade, mas eles são da melhor qualidade.

The price is $575.
Dhâ prais iz five 'hândrid aend sévânti-faiv dólârz.
O preço é $575.

HUSBAND:

It doesn't matter. If you like them, I'm going to buy them.
It 'dâzânt 'maetâr. If iu: laik dhem, áim gôuin(g) tâ bai dhem.
Não tem importância. Se você gosta deles, vou comprá-los.

> *O presente contínuo pode expressar o futuro*
> *Embora não seja o futuro propriamente gramatical (que será visto no passo 13), a idéia de futuro pode ser expressa através do presente contínuo.*
>
> I'm going to lunch at one o'clock.
> *Irei almoçar à uma hora.*
>
> Next year I'm going to Europe.
> *No próximo ano irei à Europa.*

Next year, she's going to take a course in French.
No próximo ano, ela vai fazer um curso de francês.

LADY:

Oh, how nice you are!
Ou, hau nais iu: a:r!
Oh, como você é gentil!

You are the best husband in the world.
Iú a:r dhâ bést 'hâsbând in dhâ uârld.
Você é o melhor marido do mundo.

TESTE SEU INGLÊS

Verta para o inglês. Conte 5 pontos para cada resposta correta.

1. Ele canta melhor que os outros. _____
2. Ele canta melhor do que todos. _____
3. As garotas não querem nadar. _____
4. Elas preferem bronzear-se ao sol. _____
5. Os jovens gostam de cantar. _____
6. As garotas gostam de escutar. _____
7. Eu acho a morena a mais bonita. _____
8. A loira é mais bonita que ela. _____
9. A ruiva é a mais bonita de todas. _____
10. O céu é azul-claro; o mar é azul-escuro. _____

Traduza para o português. Conte 10 pontos para cada resposta correta.

11. We must buy some presents. _____
12. Show us some silk scarves, please. _____

13. I prefer this one; the colors are more cheerful. _____

14. Look at this beautiful necklace. Do you like it? _____

15. You are the best husband in the world. _____

Resultado: _____ %

Respostas: 1. He sings better than the others. 2. He sings the best of all. 3. The girls don't want to swim. 4. They prefer to get tanned in the sun. 5. The boys like to sing. 6. The girls are delighted to listen. 7. I think that the brunette is the prettiest. 8. The blond is prettier than she. 9. The redhead is the prettiest of all. 10. The sky is light blue; the sea is dark blue. 11. Temos que comprar alguns presentes. 12. Mostre-nos uns lenços de seda, por favor. 13. Prefiro este; as cores são mais alegres. 14. Olhe este colar lindo. Você gosta? 15. Você é o melhor marido do mundo.

passo 13 COMO FORMAR O TEMPO FUTURO

The future tense is easy.
Dhâ fiútchâr tens iz í:zi.
O tempo futuro é fácil.

For the affirmative use "will" before the verb.
Fo:r dhi æ'fârmâtiv iu:z "uil" bifó:r dhâ vârb.
Para o afirmativo use "will" antes do verbo.

> Tomorrow will be a holiday.
> **Tumórou uil bi â hólidei.**
> *Amanhã será feriado.*
>
> We will go to the beach.
> **Uí uil gou tâ dhâ bi:tch.**
> *Nós iremos à praia.*
>
> If the weather is nice we will go swimming.
> **If dhâ uédhâr iz nais uí uil gou suímin(g).**
> *Se o tempo estiver bom nós iremos nadar.*

For the negative use "will not."
Fo:r dhâ négâtiv iu:z "uil nót".
Para o negativo use "will not".

> If it rains we will not stay at the beach.
> **If it reinz uí uil nót stei æt dhâ bi:tch.**
> *Se chover não ficaremos na praia.*
>
> We will return home and perhaps
> **Uí uil ri'târn houm ænd pâr'hæps**
> *Nós voltaremos para casa e talvez*

we will go to the movies.
uí uil gou tâ dhâ múviz.
nós iremos ao cinema.

A young man and an old man
Â iân(g) mæn ænd ân ould mæn
Um jovem e um velho

are discussing the future:
a:r dis'kâssin(g) dhâ fiútchâr:
estão discutindo o futuro:

THE YOUG MAN:
  Will men someday live on the moon?
  Uil mén 'sâmdei liv ón dhâ mu:n?
  Os homens algum dia viverão na lua?

THE OLD MAN:
  Of course they will.
  Âv ko:rs dhei uil.
  Claro que irão.

  There will soon be bases there and,
  Dhéâr uil su:n bi bêizis dhéâr ænd,
  Logo haverá bases lá e,

  without doubt, daily flight service.
  uidháut daut, dêili flait 'sârvis.
  sem dúvida, um serviço diário de vôos.

YOUNG MAN:
  Do you think that men will reach
  Du iu: think dhæt mén uil ri:tch
  Você acha que os homens alcançarão

  the planets also?
  dhâ 'plænits ó:lsou?
  os planetas também?

OLD MAN:
> Certainly. Once on the moon future trips
> **'Sârtânli. Uâns ón dhâ mu:n fiútchâr trips**
> *Certamente. Uma vez na lua, as futuras viagens*
>
> to outer space will be easier,
> **tu áutâr speis uil bi í:ziâr,**
> *para o espaço exterior serão mais fáceis,*
>
> and man will continue on to the planets.
> **ænd mæn uil kântíniu ón tu dhâ 'plænits.**
> *e o homem continuará até os planetas.*
>
> But I think that the astronauts
> **Bât ái think dhæt dhi 'æstrâno:ts**
> *Mas eu acho que os astronautas*
>
> will not get to the stars
> **uil nót guet tu dhâ sta:rz**
> *não chegarão às estrelas*
>
> in the near future.
> **in dhâ níâr fiútchâr.**
> *num futuro próximo.*
>
> Perhaps you young people will see it.
> **Pâr'hæps iu: iân(g) pi:pâl uil si: it.**
> *Talvez vocês jovens vejam isso.*

In conversation "will" is frequently shortened
In kânvârsêichân "uil" iz fríkuântli chó:rtând
Na conversação "will" é freqüentemente abreviado

to " 'll" and "will not" becomes "won't".
tu " 'l" ænd "uil nót" bi'kâmz "uount".
para " 'l" e "will not" torna-se "won't".

> I think I'll call the doctor
> **Ai think áil kó:l dhâ dóktâr**
> *Acho que vou chamar o médico*

about the pain in my back.
âbáut dhâ pêin in mai bæk.
para ver a minha dor nas costas.

Hello, doctor's office?
Helôu, dóktârz ófis?
Alô, consultório médico?

This is Henry Davis.
Dhiz iz Hênri Dêiviz.
Aqui é Henry Davis.

Will the doctor be able to see me today?
Uil dhâ dóktâr bi êibâl tu si: mi tudei?
O médico poderá me ver hoje?

He won't? What about tomorrow then?
Hi uount? Uót âbáut tumórrou dhén?
Ele não vai poder? E amanhã, então?

Oh, he's never there on Wednesday?
Ou, hi:z névâr dhéâr ón Uênzdei?
Oh, ele nunca está aí nas quartas-feiras?

Will Thursday be possible?
Uil 'Thârzdei bi póssibâl?
Quinta-feira será possível?

Very well, I'll come at 8:30.
Véri uél. Áil kâm æt êit 'thârti.
Muito bem. Ir às 8:30.

> **To come — to go**
> *No diálogo aparece* to come *("vir") onde, em português, usaríamos "ir"* (to go).
> *Em geral, quando se dá a idéia de estar indo para casa, para sua cidade ou seu país de origem, usa-se* come. *Também em resposta à solicitação "venha", a outra pessoa responderá* I'm coming *("estou vindo") e não* I'm going *("estou indo").*

(To his wife) His assistant says
(Tu hiz uaif) Hiz âssístânt sé:z
(Para a sua esposa) Seu assistente diz

he'll be busy on Thursday.
hi:l bi bízi ón 'Thârzdei.
que ele estará ocupado na quinta-feira.

> *Às vezes se suprime o* **that**
> *Em construções equivalentes a "diz que", "vejo que", "penso que", etc., é freqüente a supressão de* that *na conversação corrente.*
>
> I think she's nice = *Penso (que) ela é agradável.*

And he'll leave on Friday
Aend hi:l li:v ón Fráidei
E sairá na sexta-feira

for his vacation.
fo:r hiz vâkêichân.
de férias.

> *Singular ou plural*
> vacation = *férias*

If I want to see him
If ai uónt tu si: him
Se eu quiser vê-lo

I'll have to get there before 9.
áil hæv tu guet dhéâr bifó:r náin.
terei que chegar lá antes das nove.

Will you please remind me about it?
Uil iu: pli:z rimáind mi âbáut it?
Você me lembra a respeito disso?

Outro uso de will
Além de ser usado como verbo auxiliar para formar o futuro, will *serve também como uma palavra de cortesia, substituindo* want *e* wish *no sentido de "querer".*

Will you close the door? = *Poderia fechar a porta (por favor)?*

(Wife) Don't worry. I won't forget.
(Uaif) Dónt u'âri. Ai uount fârguét.
(Esposa) Não se preocupe. Eu não esquecerei.

Where is there a doctor? — *"Onde há um médico?"*
Ao se consultar um médico, as frases abaixo poderão ser úteis:

Tenho dor de cabeça = I have a headache
Tenho dor de garganta = I have a sore throat
Tenho dor de estômago = I have a stomachache
Tenho dor nas costas = I have a backache
Tenho tontura = I'm dizzy
Dói aqui = It hurst here

O médico poderá dizer:
Você deve ficar na cama = You must stay in bed
Tome isto três vezes ao dia = Take this three times a day
Isto o ajudará = This will help you
Você tem febre = You have a temperature
Volte em dois dias = Come back in two days
Tome estes comprimidos = Take these tablets

CONVERSAÇÃO: PLANEJANDO UMA VIAGEM AOS ESTADOS UNIDOS

— You and Edward will go to the United States
Iú aend Éduârd uil gou tu dhi Iunáitid Steits
Você e Eduardo irão aos Estados Unidos

next month, won't you?
nékst mânth, uount iu:?
no próximo mês, não é?

— Yes, we will leave on June 5th
Iés, uí uil li:v ón Dju:n fifth
Sim, partiremos em 5 de junho

and won't come back until the end of August.
aend uount kâm baek ântil thi aend âv Ógâst.
e não voltaremos antes do fim de agosto.

What is the date?
Nas datas em inglês o nome do mês é seguido pelo número ordinal do dia, isto é, 1st (first), 2nd (second), 3rd (third), *ou os outros números com o sufixo* -th.

1.º de janeiro = January 1st
25 de dezembro = December 25th

— That's the tourist season, isn't it?
Dhaets dhâ túrist sí:zân, ízânit?
É a estação turística, não é?

I hope you won't have difficulty with reservations.
Ai houp iú uount haev dífikâlti uidh rezârvêishânz.
Espero que vocês não tenham dificuldade com as reservas.

— There won't be a problem. We already have them.
Dhéâr uount bi â próblâm. Uí ó:lredi hæv dhem.
Não haverá problema. Nós já as temos.

— Where will you go first?
Uéâr uil iu: gou fârst?
Para onde vocês irão primeiro?

— We'll fly from London to the West Coast.
Uil flai fróm Lóndân tu dhi Uést Koust.
Nós voaremos de Londres para a costa oeste.

We'll change planes in New York.
Uil tchændj pleinz in Niú Ió:rk.
Nós trocaremos de avião em Nova York.

We'll visit Los Angeles and San Francisco.
Uil vízit Los 'Ændjiliz ænd Sân Frânsískou.
Nós vamos visitar Los Angeles e São Francisco.

After that Ed wants to go to Las Vegas.
'Æftâr dhæt Ed uónts tu gou tu Las Végâs.
Depois disso Ed quer ir a Las Vegas.

— I hope he wins at the casinos.
Ai houp hi uinz æt dhâ kâssinâs.
Espero que ele ganhe nos cassinos.

— I hope so too. At least I hope he won't lose much.
Ai houp sou tu:. Æt li:st ai houp hi uount lu:z mâtch.
Eu também espero. Pelo menos, eu espero que ele não perca muito.

Then we'll continue south to Florida.
Dhén uil kântíniu sauth tu Flóridâ.
Depois nós continuaremos para o sul, para a Flórida.

— Isn't Flórida too hot in the summer?
Ízânt Flóridâ tu: hót in dhâ 'sâmâr?
A Flórida não é quente demais no verão?

— Oh, no. There's air conditioning everywhere.
Ou, nou. Dhéârz éâr kândíchânin(g) evriuéâr.
Oh, não. Tem ar condicionado em toda parte.

Besides, Ed will not leave the States
Bissaids, Ed uil nót li:v dhâ Steits
Além disso, Ed não vai deixar os Estados Unidos

without visiting Disney World,
uidháut vízitin(g) Dísni Uârld,
sem visitar a Disney World,

and I would like to see
aend ai uúd laik tâ si:
e eu gostaria de ver

the International Exhibition at Epcot.
dhi Intâr'naechânâl Egzibíchân aet Épkât.
a Exposição Internacional em Epcot.

Then we'll travel north to New York.
Dhén uil traevâl no:rth tu Niú Ió:rk.
Depois viajaremos para o norte, para Nova York.

There we'll see some plays
Dhéâr uil si: sâm pleiz
Lá veremos algumas peças

and I shall do my shopping.
aend ai châl du mai chópin(g).
e vou fazer minhas compras.

> **Will — shall**
> Will *e* shall *indicam futuro, sendo que* shall *só pode ser usado para as primeiras pessoas,* I *e* we *("eu" e "nós"). Geralmente, usa-se* will *para todas as pessoas.* Shall *também é usado, em todas as pessoas, para expressar ameaça ou dever.*

> *Um exemplo muito conhecido é a declaração do General MacArthur, ao ser expulso das Ilhas Filipinas pelos japoneses,* "I shall return" *("Eu voltarei"), em que* shall *é quase uma ameaça, mostrando que sua volta é inevitável.*

— Will you visit New England?
  Uil iu: vízit Niú Ínglând?
  Vocês vão visitar a Nova Inglaterra?

— We won't have time on this trip.
  Uí uont hæv táim ón dhis trip.
  Não teremos tempo nesta viagem.

Perhaps next year.
Pâr'hæps nékst í:âr.
Talvez no próximo ano.

From New York we shall take
Fróm Niú Ió:rk uí châl teik
De Nova York nós deveremos tomar

a direct flight back to London.
â dairékt flait bæk tu Lóndân.
um vôo direto de volta a Londres.

TESTE SEU INGLÊS

Complete com o futuro do verbo entre parênteses. Conte 5 pontos para cada resposta correta.

1. (to be) Tomorrow _____ a holiday.

2. (to go) We _____ to the beach.

3. (to return) If it rains we _____ home.

4. (to call) I think I _____ the doctor.

5. (to go) On Saturday _____ to the movies. (Use "I" with contraction)

6. (to leave) Next week _____ on vacation. (Use "he" with contraction)

7. (to fly) _____ to the West Coast. (Use "we" with contraction)

8. (to see) We _____ some plays.

9. (to leave) Ed _____ the U.S. without seeing Las Vegas. (Use the negative)

10. (to be) Perhaps _____ there. (Use "you" with contraction)

Verta para o inglês. Conte 10 pontos para cada resposta correta.

11. O médico poderá me ver hoje?

12. Ele estará ocupado na quinta-feira?

13. Será possível na sexta-feira?

14. Esta é a estação de turismo?

15. Para onde vocês irão primeiro?

Respostas: 1. will be 2. will go 3. will return 4. will call 5. I'll go 6. he'll leave 7. We'll fly 8. will see 9. will not leav 10. you'll be 11. Will the doctor be able to see me today? 12. Will he be busy on Thursday? 13. Will Friday be possible? 14. Is this the tourist season? 15. Where will you go first?

Resultado: _____ %

passo 14 — NO SUPERMERCADO

A lady goes into a supermarket.
Â lêidi gouz íntu â supârmá:rkit.
Uma senhora entra num supermercado.

First she goes to the meat section.
Fârst chi gouz tâ dhâ mi:t sékchân.
Primeiro ela vai à seção de carnes.

There she buys a pound of ground beef,
Dhéâr chi baiz â paund âv graund bi:f,
Lá ela compra uma libra de carne moída,

$$1 \text{ pound} = \textit{meio quilo}$$

two packages of chicken breasts,
tu: 'pækidjiz âv tchíkân brésts,
dois pacotes de peito de frango,

> **Which do you prefer?**
> dark meat = *carne escura (coxa, etc.)*
> light meat = *carne branca (peito)*

and six pork chops.
ænd siks pó:rk tchóps.
e seis costeletas de porco.

She says to the butcher,
Chi sé:z tâ dhâ bútchâr,
Ela diz ao açougueiro,

"Can you pick out a good steak for me?"
"Kæn iu: pik aut â gud steik fâr mi:?"
"O senhor pode escolher um bom bife para mim?"

pick out = *escolher*   pick up = *pegar, apanhar*

"Of course", he replies, "you know
"Âv ko:rs", hi ripláiz, "iú nou
"Claro", ele responde, "a senhora sabe

that I always take care of my good customers."
dhæt ai ó:luieiz teik kéâr âv mai gud 'kâstâmârz."
que eu sempre cuido bem dos meus bons fregueses."

         Take care
           to take care = *tomar cuidado*
           to take care of = *cuidar de*

She puts her groceries in a grocery cart
Chi puts hâr grôussâriz in â grôussâri ka:rt
Ela coloca suas compras num carrinho de compras

and goes to the fruit and vegetables section.
ænd gouz tâ dhâ fru:t ænd védjitâbâlz sékchân.
e vai para a seção de frutas e verduras.

She buys oranges, lemons, grapes, bananas,
Chi baiz órândjis, lémânz, greips, bâ'naenâs,
Ela compra laranjas, limões, uvas, bananas,

tomatoes, onions, and two heads of lettuce.
tâmêitâz, 'âniânz ænd tu hédz âv létius.
tomates, cebolas e dois pés de alface.

Then she selects some frozen packages of
Dhén chi selékts sâm frouzân 'pækidjiz âv
Depois ela escolhe alguns pacotes congelados de

green beans, peas, and carrots
gri:n bi:ns, pi:s ænd kærâts
vagens, ervilhas e cenouras

and several frozen dinners too.
aend sévrâl frouzân dínârs tu:.
e diversos pratos de comida congelada, também.

She checks her list and says to herself:
Chi tchéks hâr list aend sé:z tu hârsélf:
Ela verifica a sua lista e diz para si mesma:

> Let's see... Is anything missing?
> **Léts si:... Iz énithin(g) míssin(g)?**
> *Está faltando alguma coisa?*

> Oh, yes, I need some more things.
> **Ou, iés, ai ni:d sâm mo:r thin(g)z.**
> *Oh, sim, preciso de mais algumas coisas.*

She picks up from the shelves sugar, salt,
Chi piks âp fróm dhâ shélvz chúgâr, só:lt,
Ela pega das prateleiras açúcar, sal,

coffee, canned soup and cake mix.
kófi, kaend sup aend keik miks.
café, sopa em lata e mistura para bolo.

At the dairy section she buys
Aet dhâ déâri sékchân chi baiz
Na seção de laticínios ela compra

milk, butter, cheese and a dozen eggs.
milk, bâtâr, tchi:z aend â 'dâzân égz.
leite, manteiga, queijo e uma dúzia de ovos.

Then she orders two pounds of shrimp
Dhén chi ó:rdârz tu paundz âv chrimp
Depois ela pede duas libras de camarões

at the fish market.
aet dhâ fich má:rkit.
na peixaria.

She asks: "Are they fresh?"
Chi æsks: "A:r dhei fréch?"
Ela pergunta: "Eles são frescos?"

The seller replies:
Dhâ sélâr riplaiz:
O vendedor responde:

"Of course, ma'am.
"Âv ko:rs, mæm.
"Lógico, senhora.

All the fish and seafood
Ó:l dhâ fich ænd sí:fud
Todo o peixe e frutos do mar

are delevered fresh every day."
a:r dâlívârd fréch évri dei."
são entregues frescos todos os dias."

Before leaving the supermarket
Bifó:r lívin(g) dhâ supârmá:rkit
Antes de sair do supermercado

she buys cans of soft drinks
chi baiz kænz âv sóft drinks
ela compra latas de refrigerantes

and a six-pack of beer for her husband.
ænd â siks-pæk âv bi:r fo:r hâr 'hâsbând.
e um pacote de seis latas de cerveja para o seu marido.

> **Soft or hard**
> Soft, *num sentido geral, significa "macio", "brando".*
> Soft drinks *são bebidas não alcoólicas.*
> Hard *tem o sentido geral de "duro", "difícil".*
> Hard drinks *são as bebidas alcoólicas, também chamadas de* licors, spirits *ou* alcoholic drinks.

The lady pushes her cart to the check out counter.
Dhâ lêidi púchiz hâr ka:rt to dhâ tchék aut káuntâr.
A senhora empurra seu carrinho para o caixa.

When the lady sees the total cost
Uén dhâ lêidi si:z dhâ toutâl kóst
Quando a senhora vê o preço total

> *Duas traduções possíveis*
> Observe:
>> When you visit California, you will be impressed.
>> *Quando você visitar a Califórnia, vai ficar impressionado.*
>> *Ao visitar a Califórnia, você ficará impressionado.*

she exclaims: "My goodness!
chi eksklêimz: "Mai gúdnes!
ela exclama: "Meu Deus!

> *Algumas interjeições*
>> My goodness! = *Meu Deus!*
>> Heavens! = *Céus!*
>> My! = *Nossa!*
>> My Lord! = *Meu Deus!*

Food is getting more expensive every week!"
Fu:d iz guétin(g) mo:r ekspênsiv évri ui:k!"
A comida está mais cara a cada semana!"

"But ma'am", replies the employee,
"Bât mæm", ripláiz dhi imploí:,
"Mas senhora", responde o empregado,

"look at how much good food you have there!"
"luk æt hau mâtch gud fu:d iu: hæv dhéâr!"
"olhe quanta comida boa a senhora tem aí!"

A mesma palavra para os dois gêneros
Há muitas palavras em inglês que se usam para o masculino e o feminino. Como os artigos e adjetivos também não variam em gênero, às vezes é difícil saber se your friend *é "seu amigo" ou "sua amiga".*

employee = *empregado / empregada*
owner = *dono / dona*
servant = *criado / criada*
secretary = *secretário / secretária*

CONVERSAÇÃO: NO RESTAURANTE

HEAD WAITER:
Héd uêitâr:
Maître:
  Good evening, sir.
  Gud ívnin(g), sâr.
  Boa noite, senhor.

  A table for two?
  Â têibâl fâr tu:?
  Mesa para dois?

> *Costumes*
> Head waiter *corresponde a "maître", o chefe dos garçons. Ao dirigir-se a um garçom diz-se* Waiter, *mas a uma garçonete diz-se* Miss.

  Please follow me.
  Pli:z fólou mi:.
  Por favor, me acompanhe.

  Here is a good table.
  Híâr iz â gud têibâl.
  Aqui está uma boa mesa.

  Do you care for a cocktail?
  Du iu: kéâr fâr â kókteil?
  Os senhores querem um cocktail?

MAN:
Mân:
Homem:
No, thank you.
Nou, thænk iu:.
Não, obrigado.

We'll have some wine later.
Uil hæv sâm uáin lêitâr.
Tomaremos vinho mais tarde.

What is the special today?
Uót iz dhâ spéchâl tudei?
Qual é a sugestão da casa hoje?

WAITER:
The lamb chops are excellent
Dhâ læmb tchóps a:r éksâlent
As costeletas de carneiro estão excelentes

and today we have broiled Maine lobster.
ænd tudei uí hæv bróild Mêin lóbstâr.
e hoje nós temos lagosta do Maine assada.

LADY:
Lêidi:
Senhora:
I'd like the filet of sole.
Aid laik dhâ filêi âv soul.
Eu gostaria do filé de linguado.

MAN:
I believe I'll have the sirloin steak.
Ai bilí:v ail hæv dhâ 'sârloin steik.
Creio que vou comer o filé.

WAITER:
How do you like it?
Hau du iú laik it?
Como o senhor gosta?

Rare, medium or well done?
Réâr, mídiâm ór uél dân?
Malpassado, ao ponto ou bem-passado?

MAN:
Medium, please.
Mídiâm, pli:z.
Ao ponto, por favor.

WAITER:
What dressing would you like on your salad?
Uót dréssin(g) uúd iu: laik ón io:r 'saelâd?
Que molho os senhores querem na salada?

MAN:
French dressing for my wife,
Fréntch dréssin(g) fâr mai uaif,
Molho francês para a minha esposa,

Italian for me.
I'taeliân fâr mi:.
Italiano para mim.

WAITER:
Will you have wine with the dinner?
Uíl iu: haev uáin uidh dhâ dínâr?
Vão querer o vinho com o jantar?

MAN:
Yes, thank you. A glass of white wine
Iés, thaenk iu:. Â glaes âv uait uáin
Sim, obrigado. Um copo de vinho branco

with the fish,
uidh dhâ fich,
com o peixe,

and red wine with the steak.
aend réd uáin uidh dhâ steik.
e vinho tinto com o filé.

WAITER:
   May I show you our dessert selection?
   Mei ai chou iu: áuâr di'zârt silékshân?
   Posso mostrar-lhes nossa escolha de sobremesas?

MAN:
   Fine. What do you wish, dear?
   Fáin. Uót du iú uish, díâr?
   Ótimo. O que você quer, querida?

LADY:
   I'll have a chocolate eclair.
   Ail hæv â tchókâlit eklér.
   Vou querer uma bomba de chocolate.

MAN:
   And that cheesecake looks delicious to me.
   Ænd dhæt tchi:zkeik luks dilishâz tu mi:.
   E aquele bolo de queijo parece delicioso para mim.

   Also two coffees, please.
   Ó:lsou tu: kófiz, pli:z.
   Dois cafés também, por favor.

   May I have the check?
   Mei ai hæv dhâ tchék?
   Pode trazer a conta?

WAITER:
   Right away, sir.
   Rait âuei, sâr.
   Imediatamente, senhor.

MAN:
   Is the service included?
   Iz dhâ 'sârvis inklúdid?
   O serviço está incluído?

WAITER:
   No, sir. It isn't included.
   Nou, sâr. It ízânt inklúdid.
   Não, senhor. Não está incluído.

MAN:
   Here you are.
   Híâr iu: a:r.
   Aqui está.

WAITER:
   I'll be right back with your change.
   Ail bi rait baek uidh io:r tchaendj.
   Volto em seguida com o seu troco.

MAN:
   Don't bother. Keep the change.
   Dónt bódhâr. Ki:p dhâ tchaendj.
   Não se incomode. Fique com o troco.

WAITER:
   Thank you! Do come back again.
   Thaenk iu:! Du kâm baek âguén.
   Obrigado! Voltem outra vez!

MAN:
   We shall. The food is excellent.
   Uí châl. Dhâ fu:d iz éksâlent.
   Voltaremos. A comida é excelente.

> *O uso de* **do** *para dar ênfase*
> *O verbo* to do, *como auxiliar, é usado para formar interrogativas ou negativas.*
> *Do pode também ser usado para enfatizar uma afirmação, tendo o sentido equivalente a "realmente", "mesmo".*

Pode ter também o sentido de please:

I do want a new car.
Eu quero mesmo um carro novo.

Do come back again.
Voltem mesmo.
Voltem, por favor.

TESTE SEU INGLÊS

Verta para o inglês. Conte 5 pontos para cada frase correta.

1. Três costeletas de porco. _____

2. Um bom filé. _____

3. Um pacote de seis latas de cerveja. _____

4. Dois pacotes de peito de frango. _____

5. Uma libra de carne moída. _____

6. Cenouras, ervilhas e vagem. _____

7. Leite, queijo, manteiga e ovos. _____

8. Bananas, laranjas, uvas e limões. _____

9. Cebolas, alface e tomates. _____

10. Um copo de vinho branco. _____

Escreva a letra correspondente à tradução correta ao lado da frase em inglês. Conte 10 pontos por cada resposta correta.

1. Do you care for cocktail? ____   A. Pode me trazer a conta?

2. What is the special today? ____   B. Um copo de vinho branco, por favor.

3. A glass of white wine, please. _____   C. O serviço está incluído?

4. May I have the check? _____   D. Qual a sugestão de hoje?

5. Is the service included? _____   E. Os senhores querem um coquetel?

Respostas: 1. Three pork chops. 2. A good steak. 3. A six-pack of beer. 4. Two packages of chicken breasts. 5. A pound of ground beef. 6. Carrots, peas and green beans. 7. Milk, cheese, butter and eggs. 8. Bananas, oranges, grapes and lemons. 9. Onions, lettuce and tomatoes. 10. A glass of white wine.
1-E; 2-D; 3-B; 4-A; 5-C.

Resultado: _____ %

passo 15 O TEMPO PASSADO

The verb "to be" is the only verb that
Dhâ vârb "tu bi:" iz dhi ônli vârb dhæt
O verbo "to be" é o único verbo que

has two forms in the past tense — "was" and "were".
hæz tu: fo:rmz in dhâ pæst téns — "uóz" ænd "uâr".
tem duas formas no passado — "was" e "were".

> *O passado de* to be
> Was *é o passado de* to be *para* I, he, she, it. *Para as outras pessoas a forma é* were.

All other verbs use one form only.
Ó:l 'âdhâr vârbz iúz uân fo:rm ônli.
Todos os outros verbos usam somente uma forma.

Regular verbs form the past by adding the letters
Réguiulâr vârbz fo:rm dhâ pæst bai 'ædin(g) dhâ létârz
Os verbos regulares formam o passado acrescentando as letras

ed or *d* as follows:
i: di: o:r di: æz fólouz:
ed *ou* d *como se segue:*

Some examples:
Sâm igzæmpâlz:
Alguns exemplos:

— I called you last night,
  Ai kó:ld iu: læst nait,
  Eu telefonei para você ontem à noite,

but nobody answered.
bât noubódi 'ænsârd.
mas ninguém respondeu.

Didn't you hear the phone,
Dídânt iu: híâr dhâ foun,
Você não escutou o telefone,

or did I call too late?
o:r did ai kó:l tu: leit?
ou eu telefonei tarde demais?

> *Interrogações e negações no passado*
> Constrói-se a forma interrogativa de um verbo no passado com did, passado de do. Para se construir a forma negativa, usa-se did not (ou didn't). No exemplo acima, aparece a forma interrogativa-negativa ("didn't you...?").

— Not at all.
Nót ât ó:l.
De modo algum.

I was at the movies.
Ai uóz æt dhâ múviz.
Eu estava no cinema.

I saw an excellent film
Ai só: ân éksâlent film
Eu vi um filme excelente

called "Invaders from Space".
kó:ld "Invêidârz fróm Speis".
chamado "Invasores do Espaço".

I didn't return home until late.
Ai dídânt ri'târn houm ântil leit.
Eu voltei para casa tarde.

Alguns exemplos de verbos que formam o passado com -ed

— What happened to you yesterday?
Uót hæpând tu iu: iéstârdei?
O que aconteceu com você ontem?

I looked for you on the morning train,
Ai lukt fâr iu: ón thâ mó:rnin(g) trêin,
Eu procurei por você no trem da manhã,

but I didn't see you.
bât ai dídânt si: iu:.
mas não vi você.

— I missed the train.
Ai mist dhâ trêin.
Eu perdi o trem.

It happened because I wanted
It hæpând bikó:z ai uóntid
Isso aconteceu porque eu quis

to see the Morning Show on TV.
tu si: dhâ Mórnin(g) Chou ón ti: vi:.
ver o Show da Manhã na TV.

> *O passado em inglês equivale a perfeito e imperfeito em português*
> *Observe que, no exemplo acima,* wanted *foi traduzido por "quis". Dependendo do sentido, também poderia ter sido traduzido por "queria". Em inglês, os tempos perfeito e imperfeito são expressos pelo* past tense *("tempo passado").*

But when I looked at my watch,
Bât uén ai lukt æt mai uótch,
Mas, quando olhei meu relógio,

I noticed it was after eight,
ai nôutist it uóz 'æftâr eit.
eu notei que passava das oito.

I called a taxi,
Ai kó:ld â 'tæksi,
Chamei um táxi,

but even so it was not possible
bât ívân sou it uóz nót póssibâl
mas assim mesmo não foi possível

to get to the office on time.
tu guet tâ dhi ófis ón táim.
chegar ao escritório a tempo.

So I arrived after 9:30.
Sou ai âráivd 'æftâr náin 'thârti.
Por isso cheguei depois das 9:30.

Did anyone notice that I arrive late?
Did éniuân nôutis dhæt ai âráivd leit?
Alguém notou que eu cheguei tarde?

— The boss noticed you were not here.
Dhâ bós nôutist iú uâr nót híâr.
O chefe notou que você não estava aqui.

He asked where you were.
Hi æskt uéâr iú uâr.
Ele perguntou onde você estava.

> *O passado de verbos irregulares*
> *Vários verbos importantes são irregulares, isto é, não formam o passado com -ed.*

— When you went to school,
Uén iú uént tu sku:l,
Quando você ia para a escola,

did you study English?
did iu: stâdi Ínglich?
você estudou inglês?

— No. I chose French as a foreign language.
Nou. Ai tchouz Fréntch âz â fórin 'længüidj.
Não. Eu escolhi francês como língua estrangeira.

I took French for two years.
Ai tuk Fréntch fâr tu: iârz.
Estudei francês por dois anos.

So, when I came to the United States
Sou, uén ai kêim tu dhi Iunáitid Steits
Assim, quando vim para os Estados Unidos

I spoke very little English.
Ai spouk véri lídâl Ínglich.
Eu falava muito pouco inglês.

I understood only a little
Ai ândârstú:d ôunli â lídâl
Eu compreendia só um pouco

of what people said to me.
âv uót pi:pâl séd tu mi:.
do que as pessoas diziam para mim.

But then I bought a dictionary
Bât dhén ai bó:t â díkchânâri
Mas então eu comprei um dicionário

and went to night school.
ænd uént tâ nait sku:l.
e fui para uma escola noturna.

I took courses in English,
Ai tuk kór:siz in Ínglich,
Fiz cursos de inglês,

read the newspapers,
réd dhâ niúzpeipârz,
lia os jornais,

and saw programs on television.
ænd só: prou'græms ón telâvíjân.
e via programas na televisão.

Soon I began to understand
Su:n ai bi'gæn tu ândâr'stænd
Logo comecei a entender

what people said to me
uót pi:pâl séd tu mi:
o que as pessoas diziam para mim

and found that they could
ænd faund dhæt dhei cud
e descobri que elas podiam

understand me too.
ândâr'stænd mi tu:.
me compreender também.

Os verbos irregulares no passado
Alguns verbos têm sua ortografia tão alterada no passado, que se torna até difícil reconhecê-los. Aqui está uma lista do passado de alguns verbos irregulares.

infinitivo em português	*presente em inglês*	*passado*
poder	can	could
trazer	bring	brought
pensar	think	thought
comprar	buy	bought
obter	get	got
tornar-se	become	became
ver	see	saw
ir	go	went

vir	come	came
fazer	do	did
fazer	make	made
ter	have	had
voar	fly	flew
dirigir	drive	drove
escrever	write	wrote
levar, tomar	take	took
beber	drink	drank
compreender	understand	understood
comer	eat	ate
pôr, colocar	put	put
ler	read	read
deixar, partir	leave	left
permitir	let	let

Observe que put, let *e* read *têm a mesma grafia no presente e no passado. Mas, atenção:* read *no presente se pronuncia [ri:d] e no passado [réd].*

CONVERSAÇÃO: NO AVIÃO

— Hello, Fred! Welcome to San Francisco.
Hélou, Fréd! Uélkâm tâ Sân Frânsískou.
Olá, Fred! Bem-vindo a São Francisco.

> *Nomes de origem espanhola*
> *Um grande número de cidades e lugares nos Estados Unidos têm nomes espanhóis. No entanto, às vezes é difícil reconhecê-los com a pronúncia americana.*
> *Também é importante saber que na Inglaterra e nos Estados Unidos as pessoas são identificadas e chamadas mais pelo sobrenome. Só pessoas que têm certa intimidade chamam-se pelo primeiro nome.*

How was your trip?
Hau uóz io:r trip?
Como foi a sua viagem?

— It was good and bad.
It uóz gud ænd bæd.
Foi boa e ruim.

There was a delay on takeoff.
Dhéâr uóz â dilêi ón têikof.
Houve um atraso na decolagem.

Before we started
Bifó:r uí sta:rtid
Antes de começar

the flight attendant announced
dhâ flait âténdânt ânáunst
a aeromoça anunciou

that we had to wait for
dhæt uí hæed tu ueit fo:r
que nós tínhamos que esperar

the arrival of a connecting plane.
dhi âráivâl âv â kânéktin(g) plêin.
a chegada de um avião de conexão.

After a half-hour wait
'Aeftâr â hæf-áuâr ueit
Depois de meia-hora de espera

we took off.
uí tuk óf.
nós decolamos.

Then they served us cocktails
Dhén dhei sârvd âs kókteilz
Então nos serviram coquetéis

and gave us a good lunch.
ænd gueiv âz â gud lântch.
e nos deram um bom almoço.

I was seated next to
Ai uóz sí:tid nékst tu
Eu estava sentado ao lado de

a very attractive girl.
â véri â'træktiv gârl.
uma garota muito atraente.

— Did you talk to her?
Did iu: tó:k tâ hâr?
Você conversou com ela?

— Not a first.
Not æt fârst.
Não no começo.

She was very busy with her book.
Chi uóz véri bízi uidh hâr buk.
Ela estava muito entretida com seu livro.

I read a magazine
Ai réd â 'mægâzi:n
Eu li uma revista

and wrote some letters.
ænd rout sâm létârz.
e escrevi algumas cartas.

Then, as we flew over the Mississipi River,
Dhén, âz uí flu: ôuvâr dhâ Míssissipi Rívâr,
Depois, quando voávamos sobre o Rio Mississípi,

she put her book down to look at the river
chi put hâr buk daun tu luk ât dhâ rívâr
ela abaixou o livro para olhar o rio

and I began to talk to her.
ænd ai bi'gæn tu tó:k tâ hâr.
e eu comecei a conversar com ela.

I asked whether she lived in California
Ai æskt uédhâr chi livd in Kælifo:rnia
Perguntei se ela morava na Califórnia

and she said she did,
ænd chi séd chi did,
e ela disse que sim,

but that she was originally from Massachussetts,
bât dhæt chi uóz orídjinâli fróm Mæssâtchússâts
mas que ela era de Massachussetts,

where she went to college.
uéâr chi uént tu kólidj.
onde ela fez a universidade.

College *e* university
*Esses dois termos são usados para designar "universidade". Faculty significa o corpo docente de uma universidade ou um curso superior específico (*Faculty of Medicine*).*

It turned out that
It târnd aut dhæt
Sucedeu que

we had friends in common.
uí hæd fréndz in kómân.
nós tínhamos amigos em comum.

To turn *com preposições*
Turn *significa basicamente "voltar", "girar", ou "dar voltas". Combinando-se com preposições, resulta em várias expressões idiomáticas:*

    turn off = *apagar*
    turn on = *acender*
    turn around = *voltar-se*
    turn in = *entregar / devolver*
    turn up = *aparecer*
    turn over = *passar para / transferir / capotar*
    turn out = *vir a ser / suceder / resultar*

We continued our conversation
Uí kântíniud áuâr kânvârsêichân
Nós continuamos a nossa conversa

as we flew over the Rock Mountains.
âz uí flu: ôuvâr dhâ Rók Máuntinz.
enquanto voávamos sobre as Montanhas Rochosas.

— So you became good friends?
Sou iu: bikêim gud fréndz?
Então vocês se tornaram bons amigos?

— I thought so.
Ai thó:t sou.
Eu pensava que sim.

She gave me her telephone number
Chi gueiv mi hâr télâfoun 'nâmbâr
Ela me deu o seu número de telefone

and told me to call her.
ænd tould mi to kó:l hâr.
e me disse para telefonar para ela.

She promised to show me
Chi prómist tu chou mi:
Ela prometeu me mostrar

interesting places in the city.
íntrâstin(g) plêissiz in dhâ síti.
lugares interessantes da cidade.

— I see you had a pleasant trip.
Ai si: iú hæd â plézânt trip.
Vejo que você teve uma viagem agradável.

— Yes. Up to that point.
Iés. Âp tu dhæt póint.
Sim. Até aquele momento.

When the plane landed
Uén dhâ plêin 'lændid
Quando o avião aterrissou

we said good-bye.
uí séd gud-bai.
nós dissemos até logo.

But when I looked for her number
Bât uén ai lukt fâr hâr 'nâmbâr
Mas quando procurei pelo número dela

I realized that I didn't have it.
Ai riâláizd dhaeţ ai dídânt haev it.
percebi que não o tinha.

I went back to the plane.
Ai uént baek tâ dhâ plêin.
Eu voltei para o avião.

Preposições com go *(passado =* went*)*

   go back = *voltar*
   go away = *ir embora, partir*
   go on = *seguir, continuar*
   go in = *entrar*
   go out = *sair*
   go up = *subir*
   go down = *descer, baixar*

But I couldn't find her card.
Bât ai kúdânt fáind hâr ka:rd.
Mas não consegui achar o cartão dela.

— Well, don't you remember her last name?
 Uél, dónt iu: rimémbâr hâr laest nêim?
 Bem, você não se lembra do seu sobrenome?

— No. I heard it only once.
 Nou. Ai hârd it ônli uâns.
 Não. Eu o escutei somente uma vez.

I forgot that too.
Ai fo:rgót dhaet tu:.
Eu esqueci isso também.

What bad luck!
Uót baed lâk!
Que azar!

TESTE SEU INGLÊS

Verta para o inglês. Conte 10 pontos para cada resposta correta.

1. Telefonei para você ontem à noite. _____

2. Você não escutou o telefone? _____

3. Telefonei muito tarde? _____

4. Eu estava no cinema. _____

5. Vimos um filme excelente. _____

6. Só cheguei em casa tarde. _____

7. O que aconteceu para você ontem? _____

8. Como foi a sua viagem? _____

9. Ela me disse para lhe telefonar. _____

10. Eu li uma revista; ela leu um livro. _____

Respostas: 1. I called you last night. 2. Didn't you hear the phone? 3. Did I call too late? 4. I was at the movies. 5. We saw an excellent film. 6. I didn't return home until late. (= I got back home late) 7. What happened to you yesterday? 8. How was your trip? 9. She told me to call her. 10. I read a magazine; she read a book.

Resultado: _____ %

passo 16 USOS DO PARTICÍPIO PASSADO

When walking through a city
Uén uókin(g) thru: â síti
Ao caminhar por uma cidade

we see different signs.
uí si: dífrânt sáinz.
vemos diferentes sinais.

Some say
Sâm sei
Alguns dizem

> PARKING PROHIBITED
> **Pá:rkin(g) prohíbitid**
> *Estacionamento proibido*
>
> CLOSED ON SUNDAYS
> **Klouzd ón sândeiz**
> *Fechado aos domingos*
>
> ENGLISH SPOKEN HERE
> **Ínglich spoukân híâr**
> *Fala-se inglês*

> **English spoken**
> Spoken *é o particípio passado de* to speak. *A voz passiva é formada com o particípio passado do verbo em questão e o verbo* to be *no tempo desejado. Neste caso, o* is *está subentendido:* English (is) spoken.

We also hear phrases like
Uí ólsou híâr frêiziz laik
Também escutamos frases como

    That one is already sold.
    Dhæt uân iz ólrédi sould.
    Aquele já está vendido.

    This is broken.
    Dhiz iz brôukân.
    Este está quebrado.

    Is this seat taken?
    Iz dhiz si:t têikân?
    Este lugar está ocupado?

    Is smoking permitted?
    Iz smôukin(g) pârmítid?
    É permitido fumar?

These words are the
Dhi:z uârdz a:r dhâ
Estas palavras são

past participles of the verbs
pæst pá:rtissipâlz âv dhâ vârbz
os particípios passados dos verbos

to prohibit, to close, to speak,
tu prohíbit, tu klouz, tu spi:k,
proibir, fechar, falar,

to sell, to break, to take, to permit.
tu sél, tu breik, tu teik, tu pârmít.
vender, quebrar, tomar, permitir.

The past participle is used
Dhâ pæst pá:rtissipâl iz iu:zd
O particípio passado é usado

to form the passive:
tu fo:rm dhâ pæssiv:
para formar a passiva:

The Washington White House is used
Dhi Uóchin(g)tân Uait Haus iz iu:zd
A Casa Branca de Washington é usada

as the residence of American presidents.
æz dhâ rézidânz âv Âmérikân présidânts.
como residência dos presidentes norte-americanos.

> *Americano e norte-americano*
> *Em inglês, o adjetivo pátrio* American *refere-se sempre aos Estados Unidos. Portanto,* American presidents *significa "presidentes norte-americanos".*
>
> *Posição dos adjetivos*
> *Quando temos dois, três ou mais adjetivos eles sempre precedem o nome a que se referem:*
>
>> A brown leather briefcase = *Uma pasta de couro marrom.*
>> A smart sports car = *Um elegante carro esporte.*

Construction was begun in 1792
Kâns'trâkchân uóz bigân in sévânti:n-náinti-tu:
A construção começou em 1792

and it was finished in 1800.
ænd it uóz fínicht in eití:n-'hândrid.
e terminou em 1800.

In 1814 the city of Washington
In eití:n-fo:rtí:n dhâ síti âv Uóshin(g)tân
Em 1814 a cidade de Washington

was captured by the British
uóz 'kæptchârd bai dhâ Brítich
foi capturada pelos britânicos

and the White House was burned.
ænd dhi Uait Haus uóz 'bârnd.
e a Casa Branca foi queimada.

Only a few paintings were saved
Ônli â fiú pêintin(g)z uâr seivd
Só uns poucos quadros foram salvos

by the President's wife.
bai dhâ Présidânts uaif.
pela esposa do presidente.

> *O possessivo*
> *Pode-se expressar a idéia de posse de duas maneiras em inglês: com 's ou com a preposição of:* the president's wife *ou* the wife of the president.

After the war, the building was repaired
Aeftâr dhi uo:r, dhâ bíldin(g) uóz ripéârd
Após a guerra, o edifício foi reconstruído

and painted white once more.
ænd pêintid uait uâns mo:r.
e pintado de branco outra vez.

The past participle is used
Dhâ pæst pá:rtissipâl iz iu:zd
O particípio passado é usado

for compound tenses.
fo:r kâmpáund tênsiz.
para tempos compostos.

Here is the perfect tense of "to be":
Híâr iz dhâ 'pârfekt téns âv "tu bi:":
Eis o perfeito de "ser, estar":

— Have you been in California before?
Hæv iú bi:n in 'Kælifo:rnia bifó:r?
Você esteve na Califórnia antes?

— I have been here
Ai hæv bi:n híâr
Eu estive aqui

but my wife hasn't.
bât mai uáif hæzânt.
mas minha esposa não.

We have always been anxious to come.
Uí hæv ólueiz bi:n 'ænkchiâs tu kâm.
Sempre estivemos ansiosos por vir.

We have been waiting a long time
Uí hæv bi:n uêitin(g) â lón(g) táim
Esperamos muito tempo

to make this trip.
tu meik dhis trip.
para fazer esta viagem.

> **The perfect tense = "O pretérito perfeito"**
> *O pretérito perfeito, em inglês, é formado com o verbo* to have *mais o particípio passado do verbo principal. Quando o verbo é regular, a terminação* -ed *do passado repete-se no particípio passado. Com os verbos irregulares, o passado e o particípio passado às vezes têm a mesma forma, às vezes não. É preciso memorizá-las.*

The following examples
Dhâ fólouin(g) ig'zæmpâlz
Os seguintes exemplos

are often employed in traveling.
a:r ófân implóid in 'trævâlin(g).
são freqüentemente empregados ao se viajar.

Have you packed the bags?
Hæv iú pækt dhâ bægz?
Você fez as malas?

Has the taxi come?
Hæz dhâ 'tæksi kâm?
O táxi veio?

Have you brought the camera?
Hæv iú bró:t dhâ 'kæmârâ?
Você trouxe a câmera?

What has happened?
Uót hæz 'hæpând?
O que aconteceu?

Why have we stopped?
Uái hæv uí stópt?
Por que nós paramos?

Have our bags arrived?
Hæv áuâr bægz âráivd?
As nossas malas chegaram?

I have lost a black suitcase.
Ai hæv lóst â blæk sú:tkeis.
Eu perdi uma mala preta.

I think someone has taken my coat.
Ai think 'sâmuân hæz têikân mai kout.
Eu acho que alguém pegou meu casaco.

Have we arrived in Philadelphia?
Hæv uí âráivd in Filâdélfiâ?
Nós chegamos a Filadélfia?

Has the 8:15 train left for Baltimore?
Hæz dhi eit-fiftí:n trêin léft fo:r Bó:ltimo:r?
O trem das 8:15 partiu para Baltimore?

Apresentamos abaixo uma lista dos mais importantes verbos irregulares, nas formas do infinitivo, passado e particípio passado.

Infinitive	Past	Past participle
to be (*ser/estar*)	was, were	been
to bring (*trazer*)	brought	brought
to catch (*pegar*)	caught	caught
to come (*vir*)	came	come
to cut (*cortar*)	cut	cut
to dig (*cavar*)	dug	dug
to do (*fazer*)	did	done
to draw (*desenhar*)	drew	drawn
drink (*beber*)	drank	drunk
to drive (*dirigir*)	drove	driven
to fall (*cair*)	fell	fallen
to find (*achar*)	found	found
to fly (*voar*)	flew	flown
to get (*ter, obter, conseguir*)	got	got, gotten
to give (*dar*)	gave	given
to go (*ir*)	went	gone
to have (*ter*)	had	had
to keep (*manter*)	kept	kept
to know (*saber, conhecer*)	knew	known
to leave (*partir, deixar*)	left	left
to meet (*encontrar*)	met	met
to pay (*pagar*)	paid	paid
to put (*pôr*)	put	put
to read (*ler*)	read	read
to ride (*montar*)	rode	ridden
to ring (*soar, tocar*)	rang	rung
to run (*correr*)	ran	run
to see (*ver*)	saw	seen
to sell (*vender*)	sold	sold
to send (*enviar*)	sent	sent
to sink (*afundar*)	sank	sunk
to sit (*sentar-se*)	sat	sat
to take (*levar, tomar*)	took	taken
to teach (*ensinar*)	taught	taught
to tear (*rasgar*)	tore	torn
to tell (*contar*)	told	told

Infinitive	Past	Past participle
to think (*pensar*)	thought	thought
to throw (*atirar*)	threw	thrown
to understand (*compreender*)	understood	understood
to wake (*acordar*)	woke	woken
to wear (*vestir*)	wore	worn
to weep (*chorar*)	wept	wept
to win (*vencer, ganhar*)	wan	won
to write (*escrever*)	wrote	written

CONVERSAÇÃO: NO ESCRITÓRIO

AN OFFICE WORKER (A CLERK):
Ân ófis 'uârkâr (â klârk):
Um empregado de escritório / um escriturário:
    We have been able to rest a bit
    Uí hæv bi:n êibâl tu rést â bit
    Nós pudemos descansar um pouco

    while the boss has been on his trip,
    uail dhâ bós hæz bi:n ón hiz trip,
    enquanto o chefe esteve em viagem,

    haven't we?
    'hævânt ui:?
    não pudemos?

> *O auxiliar para confirmar ou enfatizar*
> *Às vezes repete-se o verbo auxiliar para enfatizar uma informação, como no exemplo acima.*
> *Também se pode usá-lo para responder a uma pergunta sem repetir o verbo principal.*
>
>   Do you speak English? Yes, I do.
>   *Você fala inglês? Sim, falo.*
>
>   Is it raining? Yes, it is.
>   *Está chovendo? Sim, está.*

SECRETARY:
Sékrâtæri:
Secretária:
    Yes, but be careful.
    Iés, bât bi kéârful.
    Sim, mas tenha cuidado.

He has just come in.
Hi hæz djâst kâm in.
Ele acabou de entrar.

Welcome back, Mr. Harrison!
Uélkâm bæk, Mistâr 'Hærisân!
Bem-vindo, Sr. Harrison!

We have missed you!
Uí hæv mist iu:!
Sentimos sua falta!

OFFICE MANAGER:
Ófis 'mænâdjâr:
Chefe do escritório:
> Have you? It's good to be back.
> **Hæv iu:? Its gud tu bi bæk.**
> *Sentiram? É bom estar de volta.*
>
> What has happened during my absence?
> **Uót hæz 'hæpând diúrin(g) mai 'æbsâns?**
> *O que aconteceu durante a minha ausência?*

SECRETARY:
> Business has gone well.
> **Bízniz hæz gón uél.**
> *Os negócios foram bem.*
>
> This week the salesmen have sold
> **Dhis uí:k dhâ seilzmen hæv sould**
> *Esta semana os vendedores venderam*
>
> two trucks, seven station wagons,
> **tu: trâks, sévân stêichân uêigânz,**
> *dois caminhões, sete peruas,*
>
> and fourteen of our new model cars.
> **ænd fo:rtin âv áuâr niú módâl ka:rz.**
> *e quatorze dos nossos modelos novos de carros.*

We have already passed
Uí haev ólrédi paest
Nós já passamos

the sales total of last month.
dhâ seilz toutâl âv laest mânth.
o total de vendas do mês passado.

OFFICE MANAGER:
That's really good news!
Dhaets rí:li gud niúz!
Isso são boas notícias realmente!

Have you sent out
Haev iú sént aut
Você despachou

the bills for the sales?
dhâ bilz fâr dhâ seilz?
as faturas para as vendas?

SECRETARY:
Certainly. Everything is in order.
'Sârtânli. Évrithin(g) iz in ó:rdâr.
Certamente. Está tudo em ordem.

And each day I have deposited
Aend i:tch dei ai haev dipózitid
E a cada dia eu depositei

all the checks and cash in the bank.
ó:l dhâ tchéks aend kaech in dhâ baenk.
todos os cheques e dinheiro no banco.

OFFICE MANAGER:
Well, I can see you have kept busy.
Uél, ai kaen si: iu haev képt bízi.
Bem, vejo que você se manteve ocupada.

SECRETARY:
Yes, indeed. I haven't left the office
Iés, indí:d. Ai 'hævânt léft dhi ófis
Sim, realmente. Eu não tenho saído do escritório

until six or seven all week.
ântíl siks âr sévân ó:l uí:k.
antes das seis ou das sete a semana toda.

OFFICE MANAGER:
Hasn't Miss Prescott helped you?
'Hæzânt Mis Préskât helpt iu:?
A Srta. Prescott não ajudou você?

SECRETARY:
Not much. She hasn't come in
Nót mâtch. Chi 'hæzânt kâm in
Não muito. Ela não veio

for the last three days.
fâr dhâ læst thri: deiz.
nos últimos três dias.

Her mother phoned to say that
Hâr 'mâdhâr found tu sei dhæt
A mãe dela telefonou para dizer que

she was sick.
chi uóz sik.
ela estava doente.

> *Inglês britânico/americano*
> *Há certas diferenças de vocabulário e de ortografia entre o inglês da Inglaterra e o dos EUA. Nesta lição aparecem:*
> *"Enfermo, doente" é* sick *nos Estados Unidos e* ill *na Inglaterra.*
> *"Caminhão" é* truck *nos Estados Unidos e* lorry *na Inglaterra.*
> *"Gasolina" é* gas *no inglês norte-americano e* petrol *no*

britânico; daí gas station *e* petrol station, *respectivamente, para "posto de gasolina".*
No entanto essas diferenças não chegam a dificultar a comunicação entre americanos e ingleses.

OFFICE MANAGER:
I'm sorry. Tell me, has the new receptionist
Áim sóri. Tél mi, hæz dhâ niú rissépchânist
Lamento. Diga-me, a nova recepcionista

been working well?
bin 'uârkin(g) uél?
tem trabalhado bem?

SECRETARY:
On the contrary. She has arrived late every morning
Ón dhâ 'kântrâri. Chi hæz âráivd leit évri mó:rnin(g)
Ao contrário. Ela tem chegado tarde todas as manhãs

and has spent most of the day
ænd hæz spént moust âv dhâ dei
e tem passado a maior parte do dia

chatting with her friends on the telephone.
'tchætin(g) uidh hâr fréndz ón dhâ télâfoun.
batendo papo com seus amigos ao telefone.

OFFICE MANAGER:
Speaking of the telephone,
Spi:kin(g) âv dhâ télâfoun,
Por falar em telefone,

have there been any important calls for me?
hæv dhéâr bi:n éni impó:rtânt kó:lz fo:r mi:?
houve chamadas importantes para mim?

SECRETARY:
I have kept a list of all messages.
Ai hæv képt â list âv ó:l méssâdjiz.
Eu guardei uma lista de todos os recados.

A Miss Gloria has called several times
Â Mis Glória hæz kó:ld sévrâl táimz
Uma tal Srta. Glória telefonou várias vezes

without leaving her last name.
uidhaut lí:vin(g) hâr læst nêim.
sem deixar o seu sobrenome.

OFFICE MANAGER:
Oh yes, I believe I know who it is.
Ou iés, ai bilí:v ai nou hu: it iz.
Ah sim, creio que sei quem é.

Where have you put the messages?
Uéâr hæv iú put dhâ méssâdjiz?
Onde você pôs os recados?

SECRETARY:
I have put them in the top drawer
Ai hæv put dhem in dhâ tóp dro:r
Eu os coloquei na gaveta de cima

of your desk.
âv io:r désk.
de sua escrivaninha.

It is locked.
It iz lókt.
Está trancada.

OFFICE MANAGER:
Thank you. I see you have taken care of everything.
Thænk iu:. Ai si: iú hæv têikân kéâr âv évrithin(g).
Obrigado. Vejo que você cuidou de tudo.

By the way, you will notice
Bai dhi uei, iú uíl nôutis
A propósito, você notará

an increase in your salary check this week.
æn inkrí:s in io:r 'saelâri tchék dhis uí:k.
um aumento no seu contra-cheque esta semana.

I had already told the treasurer
Ai hæd ó:lredi tould dhâ tréjârâr
Eu já havia dito ao tesoureiro

to increase it before my departure.
tu inkrí:s it bifó:r mai depá:rtchâr.
para aumentá-lo antes da minha partida.

SECRETARY:
What an agreable surprise!
Uót ân â'griâbâl sârpráiz!
Que surpresa agradável!

Thank you very much!
Thænk iu: véri mâtch!
Muito obrigada!

TESTE SEU INGLÊS

Verta as frases abaixo para o inglês. Conte 10 pontos para cada resposta correta.

1. Aqui se fala inglês.

2. É permitido fumar?

3. É proibido estacionar?

4. Você esteve em Nova York antes?

5. Sim, estive aqui antes.

6. Estamos esperando há muito tempo.

7. O que aconteceu?

8. Chegaram as nossas malas?

9. Houve algum telefonema importante?

10. O restaurante está fechado aos domingos.

1. _____

2. _____

3. _____

4. _____

5. _____

6. _____

7. _____

8. _____

9. _____

10. _____

Resultado: _____ %

Respostas: 1. English is spoken here. 2. Is smoking permitted? 3. Is parking prohibited? 4. Have you been in New York before? 5. Yes, I have been here before. 6. We have been waiting (for) a long time. 7. What has happened? 8. Have our bags arrived? 9. Has there been any important call? *ou* Have there been any important calls? 10. The restaurant is closed on Sundays.

passo 17 — USO DE AUXILIARES PARA CONVIDAR, PEDIR PERMISSÃO OU INFORMAÇÃO E PARA REPETIR O QUE FOI DITO

When we offer something to someone,
Uén uí ófâr 'sâmthin(g) tu 'sâmuân,
Quando oferecemos algo a alguém,

we use phrases like:
uí iu:z frêiziz laik:
usamos frases como:

Would you like some coffee?
Uúd iu: laik sâm kófi?
Você gostaria de um café?

Wouldn't you care for a chocolate?
Uúdânt iu: kéâr fâr â tchókâlit?
Você não gostaria de um chocolate?

Will you have a drink?
Uil iu: hæv â drink?
Você toma um drink?

Won't you have something to eat?
Uount iu: hæv 'sâmthin(g) tu i:t?
Você não quer comer alguma coisa?

Os verbos auxiliares e a cortesia
Os auxiliares se combinam com os verbos básicos (sem o to do infinitivo), para fazer perguntas indiretas, quando se oferecem coisas ou se pedem favores ou permissão.

To request some information:
Tu rikuést sâm infârmêichân:
Para pedir uma informação:

    Can you tell me where the bus stop is?
    Kân iu: tél mi uéâr dhâ bus stóp iz?
    Você pode me dizer onde é o ponto do ônibus?

    Could you tell me the way to Central Park?
    Kud iu: tél mi dhi uei tu Séntrâl Pa:rk?
    Você poderia me dizer o caminho para o Central Park?

To ask permission:
Tu æsk pârmíchân:
Para pedir permissão:

    May I sit here?
    Mei ai sit híâr?
    Posso sentar-me aqui?

    May I take a picture of you?
    Mei ai teik â píktchâr âv iu:?
    Posso tirar uma foto sua?

    Would you please take a photo of me?
    Uúd iu: pli:z teik â fôuto âv mi:?
    O senhor poderia tirar uma foto minha, por favor?

    I would like to send you a copy.
    Ai uúd laik tu sénd iu: â kópi.
    Eu gostaria de lhe enviar uma cópia.

    Could you tell me your address?
    Kud iu: tél mi io:r 'ædress?
    O senhor poderia me dar o seu endereço?

> **May — can**
> Tanto may quanto can *são traduzidos por "poder". A diferença é que* may *é mais formal e, portanto, o indicado quando se dirige a estranhos.*
> Could *é o passado de* can *e se traduz como "podia", "poderia".*
> Would *é o passado de* will. *Basicamente,* would *forma o condicional de todos os verbos e* will *forma o futuro. Ambos são usados em frases de cortesia.*

The conditional is important for making
Dhâ kândíchânâl iz impó:rtânt fâr mêikin(g)
O condicional é importante para fazer

(or refuzing) invitations:
(o:r rifiúzing) invitêichânz:
(ou recusar) convites:

— Could you meet me for lunch today?
  Kud iu: mi:t mi fâr lântch tudei?
  Você poderia se encontrar comigo hoje para o almoço?

  We could go to Eduardo's, if you wish.
  Uí kud gou tu Éduardouz, if iú uich.
  Poderíamos ir ao restaurante Eduardo, se você quiser.

  Or would you prefer another place?
  O:r uúd iu: pri'fâr â'nâdhâr pleis?
  Ou você preferiria um outro lugar?

> **To want — to wish**
> Wish *é um verbo mais cortês, cuja tradução é "desejar".*
> Desire *geralmente é usado em linguagem poética ou literária.*

— I'd love to, but I couldn't go today. I'm busy.
  Aid lâv tu, bât ai kúdânt gou tudei. Áim bízi.
  Eu adoraria, mas hoje não posso. Estou ocupada.

— Well then, would it be possible for tomorrow?
Uél dhén, uúd it bi póssibâl fâr tumórou?
Bem, então seria possível para amanhã?

— Yes. Perhaps I might be able to go tomorrow.
Iés. Pâr'hæps ai mait bi êibâl tu gou tumórou.
Sim. Talvez eu pudesse ir amanhã.

> **May — Might**
> Might *é a forma do passado de* may. *As duas formas traduzem uma possibilidade e são usadas com o verbo, ou, isoladas, para responder a uma pergunta.* Might *indica uma possibilidade mais remota.*
>
> I may go to Europe soon.
> *Pode ser que eu vá à Europa logo.*
>
> Do you think Smith will be elected?
> *Você acha que o Smith será eleito?*
>
> He might be.
> *Talvez até seja.*

— Could you call me in the morning?
Kud iu: kó:l mi in dhâ mó:rnin(g)?
Você poderia me chamar de manhã?

To ask a favor:
Tu æsk â fêivâr:
Para pedir um favor:

— Would you do me a favor?
Uúd iu: du mi â fêivâr?
Poderia me fazer um favor?

Could you lend me twenty dollars?
Kud iu: lénd mi tuénti dólârs?
Poderia me emprestar vinte dólares?

I'll give it back to you
Ail guiv it bæk tu iu:
Eu lhe devolverei

next week, for sure.
nékst uí:k, fo:r chúâr.
a semana que vem, com certeza.

— I'd like to, but I don't have it today.
Aid laik tu, bât ai dónt hæv it tudei.
Eu gostaria, mas não tenho hoje.

— Well, couldn't you lend me ten, then?
Uél, kúdânt iu: lénd mi tén, dhén?
Bem, então você não pode me emprestar dez?

> *Abreviaturas*
> *No inglês falado usam-se muitas abreviaturas. Por exemplo:*
>
> > I would = I'd
> > We will = we'll
> > he would not = he wouldn't

To agree on costs:
Tu agri: ón kósts:
Para entrar em acordo sobre custos:

— How much would you charge to the airport?
Hau mâtch uúd iu: tcha:rdj tu dhi éârpo:rt?
Quanto o senhor me cobraria até o aeroporto?

— It would cost $25.00, more or less.
It uúd kóst tuénti-faiv dólârz, mo:r o:r lés.
Ficaria em $25.00 (vinte e cinco dólares), mais ou menos.

— Look, couldn't we make the price a bit lower?
Luk, kúdânt uí meik thâ práis â bit lôuâr?
Olhe, não dá para abaixar um pouco o preço?

— No way, sir. It would be illegal.
Nou uei, sâr. It uúd bi ilí:gâl.
Não dá jeito. Seria ilegal.

To repeat what has been said:
Tu ripí:t uót hæz bi:n séd:
Para repetir o que foi dito:

— Hello! Could I speak to Miss Cooper?
Hélou! Kud ai spi:k tu Mis Kú:pâr?
Alô! Eu poderia falar com a Srta. Cooper?

— She's not here now. She's out.
Chiz not híâr nau. Chiz aut.
Ela não está aqui agora. Ela saiu.

— That's funny. She told me that
Dhæts 'fâni. Chi tould mi dhæt
É estranho. Ela me disse que

she would be back around five.
chi uúd bi bæk âráund faiv.
ela estaria de volta em torno das cinco.

> **It's funny**
> Funny *é usado no sentido de "engraçado"; pode, também, significar "estranho".*

Didn't she say when she would return?
Dídânt chi sei uén chi uúd ri'târn?
Ela não disse quando voltaria?

— She said only that first she would go shopping
Chi séd ônli dhæt fârst chi uúd gou chópin(g)
Ela só disse que ia fazer compras primeiro

and that later she was going to meet
ænd dhat lêitâr chi uóz gôin(g) tu mi:t
e que mais tarde ela ia encontrar

a friend for tea.
â frénd fo:r ti:.
uma amiga para o chá.

Would you care to call later?
Uúd iú kéâr tu kó:l lêitâr?
Gostaria de chamar mais tarde?

— Thanks. I shall (will). But would you be kind enough
Thænks. Ai châl (uil). Bât uúd iu: bi kaind i'nâf
Obrigado. Eu o farei. Mas, poderia fazer a gentileza

to tell her that Robert Taylor called?
tu tél hâr dhæt Róbârt Têilâr kó:ld?
de dizer a ela que Robert Taylor telefonou?

CONVERSAÇÃO: CONVITE PARA UMA PARTIDA DE BEISEBOL

— Would you like to go to the baseball game tomorrow?
Uúd iu: laik tu gou tu dhâ bêizbo:l guêim tumórou?
Você gostaria de ir à partida de beisebol amanhã?

> *Esportes*
> *Os nomes de muitos esportes de exibição, em português, provêm do inglês. Compare:*
>
> *beisebol* = baseball
> *basquetebol* = basketball
> *tênis* = tennis
> *golfe* = golf
> *boxe* = boxing
> *luta livre* = wrestling
> *futebol* = football
>
> *Nos Estados Unidos,* football *se aplica ao futebol americano e* soccer *ao futebol jogado no nosso estilo.*

— I would like to, but I don't know
Ai uúd laik tu, bât ai dónt nou
Eu gostaria, mas eu não sei

if I would have time.
if ai uúd hæv táim.
se eu teria tempo.

> *Infinitivo abreviado*
> *Às vezes, em inglês, usa-se a preposição* to *sem o infinitivo do verbo a que se refere. Este fica subentendido. Observe:*

Do you like to swim?
Você gosta de nadar?

Yes, I like to.
Sim, eu gosto.

I have a report that I should finish before Monday.
Ai haev â ripó:rt dhaet ai chud fínich bifó:r 'Mândei.
Tenho um relatório que eu deveria terminar antes de segunda-feira.

— But you could put off the report until evening.
Bât iu: kud put óf dhâ ripó:rt ântíl ívnin(g).
Mas você poderia adiar o relatório até a noite.

The game would only take a couple of hours.
Dhâ guêim uúd ônli teik â 'kâpâl âv áuârz.
A partida só levaria um par de horas.

Tom said we could go in his car.
Tóm séd uí kud gou in hiz ka:r.
Tom disse que nós poderíamos ir em seu carro.

He said we shouldn't miss seeing this game,
Hi séd uí chúdânt mis si:n(g) dhis guêim,
Ele disse que nós não deveríamos deixar de ver esse jogo,

since it was going to be the most important of the season.
sins it uóz gôin(g) tu bi dhâ moust impó:rtânt âv dhâ sí:zân.
já que seria o mais importante da temporada.

— Which team, in your opinion, will win?
Uitch ti:m, in io:r âpíniân, uil uin?
Qual time, na sua opinião, ganhará?

— The Senators should win, according to
Dhâ Sénâtârz chud uin, âkó:rdin(g) tu
Os Senators deveriam ganhar, de acordo com

their batting average.
dhéâr 'baetin(g) 'ævrâdj.
a sua média de vitórias.

On the other hand, if the Orioles'
Ón dhi 'âdhâr haend, if dhi Órioulz
Por outro lado, se o primeiro

first pitcher has recovered from his accident
fârst pítchâr haez rikâvârd fróm his á:ḱsidânt
armador dos Orioles tiver se recuperado de seu acidente

and is in good shape,
aend iz in gud cheip,
e estiver em boa forma,

then the Orioles might have
dhén dhi Órioulz mait haev
então os Orioles poderiam ter

a good chance to win.
â gud tchaens tu uin.
uma boa chance de vencer.

— That sounds interesting. O.K. I'll be glad to go.
 Dhaet saundz íntrâstin(g). Okêi. Ail bi glaed tu gou.
 Parece interessante. Está bem. Terei prazer em ir.

TESTE SEU INGLÊS

Verta para o inglês. Conte 10 pontos para cada resposta correta.

1. Você poderia me encontrar hoje para almoçar?

2. Posso tirar um retrato seu?

3. Eu gostaria de lhe mandar uma cópia.

4. Você não teria algo para comer?

5. Posso sentar-me aqui?

6. Você poderia me dar o seu número de telefone?

7. Aceita um drink?

8. Poderia ligar-me de manhã?

9. Você poderia me emprestar vinte dólares?

10. Gostaria de ir a uma partida de beisebol amanhã?

1. _____

2. _____

3. _____

4. _____

5. _____
6. _____
7. _____
8. _____
9. _____
10. _____

Resultado: _____ %

Respostas: 1. Could you meet me for lunch today? 2. May I take a picture of you? 3. I would like to send you a copy. 4. Won't you have something to eat? 5. May I sit here? 6. Could you tell me your telephone number? 7. Will you have a drink? 8. Could you call me in the morning? 9. Could you lend me twenty dollars? 10. Would you like to go to a baseball game tomorrow?

passo 18 EMPREGOS E NEGÓCIOS

There are many business opportunities
Dhéâr a:r méni bízniz opârtiúnitis
Há muitas oportunidades

in America for people who speak
in Âmérikâ fâr pi:pâl hu spi:k
nos Estados Unidos para pessoas que falam

Spanish and English fluently.
'Spaenich aend Ínglich flúântli.
espanhol e inglês fluentemente.

Salesmen and company representatives are needed
Sêilzmen aend kómpâni riprizéntâtivz a:r ní:did
Precisa-se de vendedores e de representantes de firmas

for business and commercial relations
fâr bízniz aend komérchâl rilêichânz
para negócios e relações comerciais

between North America and the Spanish-speaking world.
bituí:n No:rth Âmérikâ aend dhâ 'Spaenich-spí:kin(g) uârld.
entre a América do Norte e os países de língua espanhola.

Translators and bilingual secretaries
Traenzlêitârz aend bailíngual sékrâtaeriz
Tradutores e secretárias bilíngües

can find good positions in banks,
kaen faind gud pâzíchânz in baenks,
podem encontrar bons empregos em bancos,

203

lawyers' offices, and large corporations.
lóyârz ófissiz, ænd la:rdj korpârêichânz.
escritórios de advogados e grandes corporações.

Mais palavras reconhecíveis
Muitas palavras em inglês terminadas em -ary são traduzidas por palavras que em português terminam em "-ário".

temporary	*temporário*
necessary	*necessário*
vocabulary	*vocabulário*
ordinary	*ordinário*
extraordinary	*extraordinário*
dictionary	*dicionário*
voluntary	*voluntário*
adversary	*adversário*
secretary	*secretário*

As duas últimas palavras, em inglês, são usadas para feminino e masculino.

Interpreters are employed in department stores,
Intérpritârz a:r implóid in depá:rtmânt sto:rz,
Intérpretes empregam-se em lojas de departamentos,

hotels, hospitals, and airports.
hâtélz, hóspitâlz, ænd éârpo:rts.
hotéis, hospitais e aeroportos.

Factory and construction workers
'Fæktâri ænd kâns'trâkchân 'uârkârz
Trabalhadores de fábricas e construções

need English for reasons of safety
ni:d Ínglich fâr rí:zânz âv sêifti
precisam de inglês por razões de segurança

and to communicate with work teams.
ænd tâ komiúnikeit uidh uârk ti:mz.
e para se comunicarem com equipes de trabalho.

Capable bilingual people can find positions
Kêipâbâl bailíngual pi:pâl kæn faind pâzíchâns
Pessoas bilíngües capacitadas podem encontrar colocações

in municipal, state, or federal agencies.
in miuníssipâl, steit or fédârâl êidjânsiz.
em repartições municipais, estaduais ou federais.

> **Palavras parecidas**
> *Você continuará encontrando palavras muito parecidas com suas correspondentes em português. Cuidado com sua pronúncia!*

Spanish is the second language of the United States
'Spænich iz dhâ sékând 'længüidj âv dhi Iunáitid Steits
O espanhol é a segunda língua dos Estados Unidos

but English, the national language,
bât Ínglich, dhâ 'næchânâl 'længüidj,
mas o inglês, a língua nacional,

is really the key to one's success
iz rí:li dhâ ki: tu uânz sâksés
é realmente a chave para o sucesso

in almost any work, position, or business
in ó:lmoust éni uârk, pâzíchân, ór bíznis
em quase qualquer trabalho, colocação ou atividade

activity one may engage in.
æktíviti uân mei inguêidj in.
comercial de que alguém possa se ocupar.

CONVERSAÇÃO: UMA ENTREVISTA PARA UM EMPREGO

DIRECTOR OF PERSONNEL:
Diréktâr âv pârsânel:
Diretor de pessoal:
  Good morning. Please be seated.
  Gud mó:rnin(g). Pli:z bi sí:tid.
  Bom dia. Queira sentar-se.

  Have you completed the aplication for employment?
  Hæv iu: kâmplítid dhi æplikêichân fo:r implóimânt?
  O senhor completou a sua ficha de solicitação de emprego?

APPLICANT:
'Æplikânt:
Candidato:
  Yes, I have. Here it is, sir.
  Iés, ai hæv. Híâr it iz, sâr.
  Sim, completei. Aqui está.

DIRECTOR:
  I see on your application that
  Ai si: ón io:r æplikêichân dhæt
  Eu vejo na sua ficha que

  you speak Spanish and English fluently.
  iú spi:k 'Spænich ænd Ínglich flúântli.
  o senhor fala espanhol e inglês fluentemente.

Are you familiar with business terminology
A:r iu: fâmíliâr uidh bízniz târminólâdji
O senhor está familiarizado com a terminologia comercial

in both languages?
in bouth 'længüidjiz?
em ambas as línguas?

APPLICANT:
Yes, I am. I have worked in the international division
Iés, ai æm. Ai hæv uârkt in dhi intâr'næchânâl divíjân
Sim, estou. Eu trabalhei na divisão internacional

of the National Bank for five years.
âv dhâ 'Næchânâl Bænk fâr faiv í:ârz.
do Banco Nacional por cinco anos.

DIRECTOR:
Tell me, are you up to date on
Tél mi, a:r iu: âp tu deit ón
Diga-me, o senhor está atualizado com

the latest import-export regulations?
dhâ lêitist ímpo:rt-ékspo:rt reguiulêichâns?
os últimos regulamentos de importação-exportação?

APPLICANT:
Yes. A good deal of my work
Iés. Â gud di:l âv mai uârk
Sim. Uma boa parte do meu trabalho

was connected with the foreign accounts department.
uóz konéktid uidh dhâ fórin âkáunts depá:rtmânt.
estava ligada ao departamento de contabilidade com o exterior.

DIRECTOR:
Are you free to travel?
A:r iu: fri: tâ 'trævâl?
O senhor está livre para viajar?

We have branches in different
Uí haev 'braentchiz in dífrânt
Nós temos filiais em várias

American and Latin American cities.
Âmérikân aend 'Laetin Âmérikân sítis.
cidades americanas e latino-americanas.

APPLICANT:
Certainly. I would like to have such an opportunity.
'Sârtânli. Ai uúd laik tu haev sâtch ân opârtiúniti.
Certamente. Eu gostaria de ter uma oportunidade dessas.

DIRECTOR:
What was your reason
Uót uóz io:r rí:zân
Qual foi a sua razão

for leaving your last position?
fâr lí:ving io:r laest pâzíchân?
para deixar o seu último emprego?

APLLICANT:
There was no room for further advancement.
Dhéâr uóz nou ru:m fâr 'fârdhâr âd'vaensmânt.
Não havia possibilidade de mais ascensão.

Also I wanted to come to the United States.
Ólsou ai uóntid tu kâm tu dhi Iunáitid Steits.
E, também, eu queria vir para os Estados Unidos.

DIRECTOR:
Your qualifications seem to be excellent.
Io:r kualifikêishâns si:m tu bi éksâlânt.
As suas qualificações parecem ser excelentes.

Within two weeks we will have a position open —
Uidhín tu: uí:ks uí uil haev â pâzíchân ôupân —
Dentro de duas semanas nós teremos uma vaga em aberto —

assistant to the export manager.
âssístânt tâ dhi ékspo:rt 'mænâdjâr.
assistente do gerente de exportação.

Incidently, our company offers
Insidéntli, áuâr kómpâni ófârz
A propósito, nossa companhia oferece

many advantages to its emplyees, such as
méni âd'væntâdjiz tâ its imploí:z, sâtch âz
muitas vantagens para o seus empregados, tais como

health, profit sharing, and retirement plans.
hélth, prófit chærin(g), ænd ritaiârmânt plænz.
planos de saúde, de participação de lucros e de aposentadoria.

They are described in detail in this booklet.
Dhei a:r diskráibd in ditêil in dhis búklet.
Eles são descritos em detalhe nesse livreto.

When would you be prepared to start?
Uén uúd iu: bi pripéârd tu sta:rt?
Quando o senhor estaria preparado para começar?

APPLICANT:
Whenever it would be convenient for you.
Uenévâr it uúd bi kânvíniânt fâr iu:.
Quando (a qualquer momento que) for conveniente para o senhor.

However I should first like to discuss
Hauévâr ai shud fârst laik tâ dis'kâs
No entanto, eu gostaria de primeiro discutir

the question of salary.
dhâ kuéstiân âv 'sælâri.
a questão do salário.

Question
Question *é traduzido por "pergunta". No contexto acima é "questão".* To question, *numa delegacia de polícia, seria "interrogar".*

DIRECTOR:
Of course. I am sure we can arrive
Âv ko:rs. Ai æm shu:r uí kæn âráiv
É claro. Estou certo de que poderemos chegar

at an agreement of mutual benefit.
æt ân âgrí:mânt âv miútuâl bénâfit.
a um acordo de benefício mútuo.

TESTE SEU INGLÊS

Leia o Passo 18 outra vez com atenção. Depois, sem voltar ao texto, verifique se as afirmações abaixo estão corretas, marcando um X em TRUE ("verdadeiro") ou em FALSE ("falso"). Conte 10 pontos para cada resposta correta.

	TRUE	FALSE
1. You don't need English to get a good job in the United States.	( )	( )
2. Bilingual secretaries use three languages at work.	( )	( )
3. After English, Spanish is the most important language in the United States.	( )	( )
4. Federal agencies frequently employ bilingual people.	( )	( )
5. The company has profit sharing and retirement plans.	( )	( )
6. The company has no branches in other cities.	( )	( )
7. The person looking for a job has written an application.	( )	( )
8. The applicant is unfamiliar with business terminology.	( )	( )

9. The applicant knows about import-export regulations.   ( )   ( )

10. He doesn't want to travel.   ( )   ( )

Respostas: 1. False 2. False 3. False 4. True 5. True 6. True 7. False 8. False 9. True 10. False.

Resultado: _____ %

passo 19 — O MAIS-QUE-PERFEITO: RELATANDO FATOS

The past participle is used with "had"
Dhâ paest pá:rtissipâl iz iúzd uidh "haed"
O particípio passado é usado com "had"

to form the past perfect:
tu fo:rm dhâ paest 'pârfekt:
para formar o mais-que-perfeito:

> The past perfect = "*O mais-que-perfeito*"
> O uso do past perfect é análogo ao do mais-que-perfeito do português.
> Ele é formado com had combinado ao particípio passado do verbo principal e é empregado quando se descreve uma ação ou fato num passado anterior a uma outra ação ou fato passado.

> We had already gone to bed when Victor came to visit.
> *Nós já tínhamos ido para a cama quando Victor veio nos visitar.*

> I knew someone who had made millions in the stock market before it fell.
> *Conheci alguém que ganhou milhões no mercado de ações antes de ele cair.*

The train had left
Dhâ trêin haed léft
O trem tinha partido

before we got to the station.
bifó:r uí got tu dhâ stêichân.
antes de nós chegarmos à estação.

213

Fortunately the bus had not departed.
Fórtiuneitli dhâ bâs hæd not depá:rtid.
Felizmente o ônibus não tinha partido.

When we arrived at the hotel
Uén uí âráivd æt dhâ hâtél
Quando nós chegamos ao hotel

the dining room had just closed.
dhâ dáinin(g) ru:m hæd djâst klouzd.
o salão de jantar tinha acabado de fechar.

> **Just** *para indicar tempo*
>
> He just arrived = *Ele acabou de chegar.*
> He had just arrived = *Ele tinha acabado de chegar.*

We were quite hungry
Uí uâr kuait 'hângri
Nós estávamos com bastante fome

since we had not eaten since noon.
sins uí hæd nót í:tân sins nu:n.
visto que não tínhamos comido desde o meio-dia.

But we remembered that we had noticed
Bât uí rimémbârd dhæt uí hæd nôutist
Mas lembramos que tínhamos notado

a "diner" near the station.
â "dáinâr" níâr dhâ stêichân.
um "diner" perto da estação.

> *Restaurante dia e noite*
> *Um* diner *é um pequeno restaurante, geralmente do tamanho do carro-restaurante de um trem e que costuma funcionar dia e noite, sem fechar.*

We went back there and found
Ui uént bæk dhéâr ænd faund
Nós voltamos lá e verificamos

that it hadn't closed yet.
dhæt it 'hædânt klouzd iét.
que não tinha fechado ainda.

NARRAÇÃO: UMA SOMBRA NA JANELA

We had already finished dinner
Uí hæd ó:lredi fínicht dínâr
Nós já tínhamos terminado o jantar

and we were in the living room having coffee.
ænd uí uâr in dhâ lívin(g) ru:m 'hævin(g) kófi.
e estávamos na sala de estar tomando café.

Suddenly we heard screams,
'Sâdânli uí hârd skri:mz,
De repente escutamos gritos,

which were coming from the kitchen.
uitch uâr 'kâmin(g) fróm dhâ kítchân.
que vinham da cozinha.

We ran in to see what had happened.
Uí ræn in tu si: uót hæd 'hæpând.
Nós corremos para lá para ver o que tinha acontecido.

The maid told us,
Dhâ meid tould âs,
A empregada nos disse,

when she had calmed down,
uén chi hæd ka:md daun,
quando ela se acalmou,

that she had heard a noise
dhaet chi hæd hârd â nóiz
que ela tinha escutado um barulho

on the fire escape
ón dhâ fáiâr iskêip
na escada de incêndio

and thought that she had seen
ænd thó:t dhæt chi hæd si:n
e achou que tinha visto

someone outside the window who was looking in.
'sâmuân áutsaid dhi uíndou hu uóz lúkin(g) in.
alguém do lado de fora da janela que olhava para dentro.

She thought it could be a burglar.
Chi thó:t it kud bi â 'bâ:rglâr.
Ela achava que podia ser um ladrão.

She said that she had read an article
Chi séd dhæt chi hæd réd ân á:rtikâl
Ela disse que tinha lido um artigo

in the newspaper about a cat burglar
in dhâ niúzpêipâr âbaut â kæt 'bâ:rglâr
no jornal sobre um ladrão "gato"

who had climbed up a building and had robbed
hu hæd kláimd âp â bíldin(g) ænd hæd róbd
que tinha escalado um prédio e tinha roubado

several apartments in the neighborhood.
sévrâl âpá:rtmânts in dhâ nêibârhu:d.
vários apartamentos na vizinhança.

We looked out the window
Uí lukt aut dhi uíndou
Nós olhamos para fora da janela

but there was no one there.
bât dhéâr uóz nou uân dhéâr.
mas não havia ninguém lá.

We called the police
Uí kó:ld dhâ polís
Nós chamamos a polícia

and they told us that
aend dhei tould âs dhæt
e eles nos disseram que

they would check the building.
dhei uúd tchék dhâ bíldin(g).
fariam uma inspeção no prédio.

Emergências
Seguem abaixo algumas expressões que podem ser de grande importância numa emergência:

Polícia! = Police!
Pega ladrão! = Stop thief!
Fui roubado. = I've been robbed.
Socorro! = Help!
Fogo! = Fire!
Cuidado! = Look out!
Houve um acidente! = There's been an accident!
Depressa! = Hurry (up)!
Chamem uma ambulância! = Call an ambulance!
Não se mova! = Don't move!

TESTE SEU INGLÊS

Traduza para o inglês. Conte 10 pontos para cada resposta correta.

1. Quando chegamos, o trem tinha saído. _____

2. Não tínhamos comido desde meio-dia. _____

3. Tínhamos terminado o jantar. _____

4. Estávamos tomando o café. _____

5. A criada nos disse que tinha ouvido um barulho. _____

Seguem-se cinco situações. Escreva uma ou duas frases adequadas a cada uma delas (consulte o Passo anterior). Caso não entenda alguma palavra, consulte o vocabulário do final do livro.

6. If a robber takes your money, you call: _____

7. If you see smoke and flames coming from a house, you shout:
_____

8. If a person who can't swim falls into a river, he calls: _____

9. If you see an accident, you say: _____

10. If a person is hurt in an accident, you tell him: _____

Resultado: _____ %

Respostas: 1. When we arrived, the train had left. 2. We had not eaten since noon. 3. We had finished dinner. 4. We were having coffee. 5. The maid told us that she had heard a noise. 6. Stop thief! I've been robbed. 7. Fire! 8. Help! 9. Call an ambulance! There's been an accident. 10. Be careful! Don't move!

passo 20 — O FUTURO PERFEITO — RESUMO DOS TEMPOS VERBAIS

The future perfect is used
Dhâ fiútchâr 'pârfekt iz iúzd
O futuro perfeito é usado

to express action already finished in the future.
tu eksprés 'aekchân ólredi fínicht in dhâ fiútchâr.
para expressar uma ação já terminada no futuro.

> **Future perfect**
> *Este tempo é formado com* will have *(ou suas formas negativas* will not have *ou* won't have*) combinado com o particípio passado. Note os exemplos que se seguem.*

— Will you have finished the repair by evening?
 Uil iu: haev fínicht dhâ ripéâr bai ívnin(g)?
 Você terá terminado o conserto até a noite?

— It's possible, but I'll certainly
 Its póssibâl, bât ail 'sârtânli
 É possível, mas certamente

have finished the job by tomorrow.
haev fínicht dhâ djob bai tumórou.
terei terminado o trabalho amanhã.

By next week I will have received my final grades.
Bái nékst uí:k ai uil haev rissí:vd mai fáinâl greidz.
Até a próxima semana eu terei recebido minhas notas finais.

221

If they are good, I will have fulfilled
If dhei a:r gud, ai uil hæv fulfíld
Se elas forem boas, eu terei cumprido

all the requirements for graduation.
ó:l dhâ rikuáirmânts fo:r grædiuêichân.
todos os requisitos para a minha graduação.

When he finishes his literature course
Uén hi fínichiz hiz lítrâtchâr ko:rs
Quando ele terminar o seu curso de literatura

he will have read at least 250 books.
hi uil hæv réd ât li:st tu: 'hândrid ænd fífti buks.
ele terá lido pelo menos 250 livros.

Resumo dos tempos verbais
*Com o futuro perfeito (*future perfect*) chegamos ao último dos seis tempos verbais básicos do inglês.*
Lembre-se de que todos os verbos têm formas iguais para as diferentes pessoas. São exceções: a terceira pessoa do singular do presente que recebe um s no final; o verbo to be *no presente (*am, is, are*) e no passado (*was, were*); o verbo* to have *no presente (*have, has*).*
Como modelo, segue abaixo a primeira pessoa do verbo to speak *("falar"), nos seis tempos básicos:*

present = I speak
past = I spoke
future = I will speak
present perfect = I have spoken
past perfect = I had spoken
future perfect = I will have spoken

Para se formarem os tempos contínuos, combinam-se as formas correspondentes de to be *com o particípio presente ou gerúndio.*

present = I am speaking
past = I was speaking
future = I will be speaking

perfect = I have been speaking
past perfect = I had been speaking
future perfect = I will have been speaking

Como você deve ter notado, os verbos ingleses são bastante simples quanto à sua estrutura e uso, embora às vezes difíceis de serem compreendidos na linguagem oral, devido ao uso constante de abreviações.

As diversas variações de tempo e modo do português se expressam, em inglês, por meio dos verbos auxiliares, como se verá com mais detalhe nos próximos passos.

CONVERSAÇÃO: O PROGRESSO DA CIÊNCIA

— In a hundred years what changes
In â 'hândrid i:ârz uót 'tchændjiz
Dentro de cem anos, que mudanças

will have occurred?
uíl hæv â'kârd?
terão ocorrido?

— In my opinion we will have established
In mái âpíniân uí uil hæv 'stæblisht
Na minha opinião teremos estabelecido

bases on the moon and on the planets
bêiziz ón dhâ mu:n ænd ón dhâ 'plænits
bases na lua e nos planetas

of the solar system.
âv dhâ sôulâr sístâm.
do sistema solar.

Scientists will have developed
Sáiântists uil hæv divélopt
Os cientistas terão desenvolvido

new food resources
niú fu:d risó:rsis
novos recursos de alimentos

for the world's greatly increased population.
fo:r dhâ uârldz grêitli incrí:st popiulêichân.
para a população grandemente aumentada do mundo.

Progress in medical care will have prolonged
Prâgrés in médikâl kéâr uil hæv prâlóngd
O progresso no tratamento médico terá prolongado

the duration of human life by many years.
dhâ diurêichân âv hiúmân laif bai méni i:ârz.
a duração da vida humana em muitos anos.

The use of computers
Dhâ iúz âv kâmpiútârz
O uso de computadores

will have completely changed
uil hæv kâmplítli tchændjd
terá mudado completamente

the educational system.
dhi ediukêichânâl sístâm.
o sistema educacional.

— Maybe. But do you think
Mêibi. Bât du iú think
Talvez. Mas você acha

they will have discovered
dhei uil hæv dis'kâverd
que terão descoberto

a means of reducing taxes?
â mi:ns âv ridiússin(g) tæksez?
um meio de reduzir os impostos?

TESTE SEU INGLÊS

Os verbos do parágrafo abaixo estão no tempo futuro. Reescreva-os no futuro perfeito. Conte 10 pontos para cada resposta correta.

We *will establish* bases on other planets. Scientists *will develop* new food resources which *will prolong* human life. Computers *will change* the educational system. Many new discoveries *will be made*.

Future   Future perfect

1. will establish   1. _____
2. will develop   2. _____
3. will prolong   3. _____
4. will change   4. _____
5. will be made   5. _____

Traduza para o inglês. Conte 10 pontos para cada sentença correta.

1. O conserto terá terminado antes das 6?

2. Nós teremos recebido o contrato antes da reunião.

3. No próximo mês terei cumprido os requisitos para me graduar.

4. Antes da próxima terça-feira terei feito as mudanças que você deseja.

5. Depois de ter falado com ele poderei dar a você a informação.

Respostas: 1. will have established 2. will have developed 3. will have prolonged 4. will have changed 5. will have been made.
1. Will he have finished the repair before 6?
2. We will have received the contract before the meeting.
3. Next month I will have fulfilled the requirements to graduate.
4. Before next Tuesday I will have made the changes you wish.
5. After having spoken with him I will be able to give you the information.

Resultado: _____ %

passo 21 CONDIÇÕES E SUPOSIÇÕES

Sentences like:
Séntânsiz laik:
Frases como:

"If it rains tomorrow, we won't go to the beach"
"If it rêinz tumórou, uí uóunt gou tu dhâ bi:tch"
"Se chover amanhã, não iremos à praia"

and "If he came to the party, I didn't see him",
ænd "If hi kêim tu dhâ pa:rti, ai dídânt si: him",
e "Se ele veio à festa, eu não o vi",

are simple suppositions.
a:r simpâl supâzíchânz.
são simples suposições.

> *Suposições sobre condições possíveis*
> *São suposições simples, que de um modo geral se constroem com o uso do presente, para expressar a condição, e do futuro para expressar a conseqüência dessa condição. A condição é introduzida por if.*
>
> If he calls me this afternoon, I will invite him to diner.
> *Se ele me telefonar hoje à tarde, vou convidá-lo para jantar.*

— If you told me what happened
If iu: tould mi uót 'hæpând
Se você me contasse o que aconteceu

I would not repeat it to anyone.
ai uúd not ripí:t it tu éniuân.
eu não o repetiria para ninguém.

— If you were in my place, what would you do?
If iu: uâr in mai pleis, uót uúd iú du:?
Se você estivesse em meu lugar, o que você faria?

— Well, if I were in your situation,
Uél, if ai uâr in io:r sitiuêichân,
Bem, se eu estivesse na sua situação,

I would try to find a good lawyer.
ai uúd trai tu faind â gud ló:iâr.
tentaria encontrar um bom advogado.

> **Condições impossíveis ou remotamente possíveis**
> *É importante observar o grau de suposição nos exemplos acima. Ao dizermos* If you were in my place, *estamos supondo uma situação que não é real. Usa-se então* if *com o passado do verbo da primeira suposição, e* would *com o verbo da segunda suposição no infinitivo.*
> *Neste tipo de construção, o verbo* to be *no passado toma a forma* were *para todas as pessoas.*

— Last night I saw a TV program about tigers.
Læst nait ái so: â tivi prou'græm âbáut táigârz.
A noite passada eu vi um programa sobre tigres.

What would you do if you met
Uót uúd iu: du: if iu: mét
O que você faria se você encontrasse

a tiger in the jungle?
â táigâr in dhâ 'djângâl?
um tigre na selva?

— Well, if I saw one, I would kill him
Uél, if ai só: uân, ai uúd kil him
Bem, se eu visse um, eu o mataria

with my rifle.
uidh mai ráifâl.
com meu rifle.

— But if you didn't have a rifle, what then?
Bât if iu: dídânt hæv â ráifâl, uót dhén?
Mas, se você não tivesse um rifle, e então?

— Then I would clim up a tree.
Dhén ai uúd kláim âp â tri:.
Então eu subiria numa árvore.

— Don't you know that tigers can climb trees too?
Dónt iú nou thæt táigârz kæn cláim tri:z tu:?
Você não sabe que tigres também sobem em árvores?

— Then I would have to run for my life.
Dhén ai uúd hæv tu rân fâr mai laif.
Então eu teria que correr para me salvar.

You know, I used to be a champion racer in school.
Iú nou, ai iúzd tu bi â 'tchâmpiân rêissâr in sku:l.
Você sabe, eu era campeão de corrida na escola.

— Hmmm... I think that the tiger
Hmmm... Ai think dhæt dhâ táigâr
Hmmm... Eu acho que o tigre

would catch up to you easily...
uúd kætch âp tu iu: í:zili...
pegaria você facilmente...

— For God's sake, man!
Fâr Góds seik, mæn!
Pelo amor de Deus, homem!

Are you my friend or the friend of the tiger?
A:r iu: mai frénd or dhâ frénd âv dhâ táigâr?
Você é meu amigo ou amigo do tigre?

Used to = *hábito passado*
Used to *seguido de um verbo no infinitivo indica uma ação costumeira ou um hábito que se tinha no passado:*

> When I was young, I used to go to the movies every Saturday.
> *Quando eu era jovem, eu ia ao cinema todos os sábados.*
>
> She used to play tennis twice a week.
> *Ela jogava tênis duas vezes por semana.*

Used to = *"Estar acostumado a" "Acostumar-se a"*
Neste caso used to *é precedido pelos verbos* to be *ou* to get *e seguido de um verbo no gerúndio:*

> I'm used to getting up at 6 in the morning.
> *Estou acostumado a me levantar às 6 da manhã.*
>
> He got used to working in America.
> *Ele se acostumou a trabalhar na América.*

Another kind of suposition
Â'nâdhâr kaind âv supâzíchân
Um outro tipo de suposição

deals with events that never happened
di:lz uidh ivénts dhæt névâr 'hæpând
relaciona-se com acontecimentos que nunca aconteceram

but might have happened:
bât mait hæv 'hæpând:
mas que poderiam ter acontecido:

> If Queen Isabella had not aided Columbus,
> **If Kuí:n Izabélâ hæd nót êidid Kâlúmbâs,**
> *Se a Rainha Isabel não tivesse ajudado Colombo,*
>
> who would have discovered the New World?
> **hu: uúd hæv dis'kâvârd dhâ Niú Uârld?**
> *quem teria descoberto o Novo Mundo?*

If scientists had not been able to split the atom,
If sáiântists hæd not bi:n êibâl tu split dhi 'ætâm,
Se os cientistas não tivessem sido capazes de dividir o átomo,

would the world be a better place to live today?
uúd dhi uârld bi â bétâr pleis tu liv tudei?
o mundo seria um lugar melhor para viver hoje?

    Condições/suposições: resumo

    a) *Pode acontecer*
       If I have time, I will see that film.
       Se eu tiver tempo, verei aquele filme.

    b) *Dificilmente acontecerá*
       If I had time, I would see that film.
       Se eu tivesse tempo, eu veria aquele filme.

    c) *Não pode mais acontecer*
       If I had had time, I would have seen that film.
       Se eu tivesse tido tempo, eu teria visto aquele filme.

CONVERSAÇÃO: O QUE VOCÊ FARIA SE GANHASSE NA LOTERIA?

— What would you do if you won
Uót uúd iu: du if iu: uân
O que você faria se ganhasse

the big prize in the lottery?
dhâ big praiz in dhâ lótâri?
o grande prêmio da loteria?

— The first thing would be
Dhâ fârst thin(g) uúd bi
A primeira coisa seria

to buy a bigger house.
tu bái â bígâr haus.
comprar uma casa maior.

That would make my wife happy.
Thæt uúd meik mai uaif 'hæpi.
Isso faria minha esposa feliz.

Then I would buy a new car.
Dhén ai uúd bai â niú ka:r.
Depois, eu compraria um carro novo.

That would make me happy.
Dhæt uúd meik mi 'hæpi.
Isso me faria feliz.

Then we would take a trip
Dhén uí uúd teik â trip
Então (depois) nós faríamos uma viagem

around the world.
âráund dhi uârld.
ao redor do mundo.

We would visit the places
Uí uúd vízit dhâ plêissiz
Nós visitaríamos os lugares

we have always wanted to see.
uí hæv ó:lueis uóntid tu si:.
que sempre quisemos ver.

After that we would come back here
'Æftâr dhæt uí uúd kâm bæk híâr
Depois disso voltaríamos aqui.

to enjoy our new house.
tu indjói áuâr niú haus.
para usufruir da nossa casa nova.

— Would you keep on working?
  Uúd iu: ki:p ón 'uârkin(g)?
  Você continuaria trabalhando?

— No way! I would retire.
  Nou uei! Ai uúd ritáiâr.
  De modo algum! Eu me aposentaria.

Then I could play golf
Dhén ai kud plei golf
Então eu poderia jogar golfe

or do whatever I wanted.
or du uotévâr ai uóntid.
ou fazer o que eu quisesse.

— That would be the ideal life, wouldn't it?
  Dhæt uúd bi dhi aidíâl laif, uúdânt it?
  Essa seria a vida ideal, não seria?

Let's go and buy some tickets now!
Lét's gou aend bai sâm tíkits nau!
Vamos comprar alguns bilhetes agora!

The following week:
Dhâ fólouin(g) uí:k:
Na semana seguinte:

— How did it go?
  Hau did it gou?
  Como foi?—

— I had no luck! Although I bought
  Ai haed nou lâk! Oldhôu ai bó:t
  Não tive sorte! Embora eu tenha comprado

  a dozen tickets
  â dâzân tíkits
  uma dúzia de bilhetes

  I didn't win anything at all!
  ai dídânt uin énithin(g) aet ó:l!
  não ganhei absolutamente nada!

— Neither did I.
  Nídhâr did ai.
  Eu também não.

  But after all, if you had won a lot of money
  Bât aeftâr ó:l, if iu: haed uân â lót âv 'mâni
  Mas, afinal, se você tivesse ganhado muito dinheiro

  probably it would all be gone in a short time.
  próbabli it uúd ó:l bi gón in â chó:rt táim.
  provavelmente teria se acabado em pouco tempo.

— Maybe. But at least
  Mêibi. Bât aet li:st
  Talvez. Mas pelo menos

I would have had the pleasure
ai uúd hæv hæd dhâ pléjâr
eu teria tido o prazer

of spending it.
âv spéndin(g) it.
de gastá-lo.

> *O gerúndio*
> *Há casos em que o gerúndio no inglês é traduzido pelo infinitivo no português.*
>
> The joy of living = *A alegria de viver*
> The advantages of knowing English = *As vantagens de saber inglês*
> The danger of driving = *O perigo de dirigir*

TESTE SEU INGLÊS

Verta para o inglês: conte 10 pontos para cada resposta correta. Procure as palavras que você não souber no vocabulário do final do livro.

1. Se ele quer ser médico, deve ir para a universidade.

2. Se a bolsa subir, ficaremos felizes.

3. Se a nossa equipe ganhar a partida, daremos uma festa.

Traduza para o português:

4. If he had enough money, he would buy a yacht.

5. If I were in your place, I would look for a new job.

6. What would you do if you won the lottery?

7. If the automobile had not been invented, would we still travel by horse?

8. What would have happened if Phillip II had been able to conquer England?

_____

Verta para o inglês:

9. Eu morei no México quando era jovem.

_____

10. Estou acostumado a me deitar às dez.

_____

Respostas: 1. If he wants to be a doctor, he must go to the university. 2. If the stock market goes up we will be happy. 3. If our team wins the game we will give a party. 4. Se eu tivesse dinheiro suficiente compraria um iate. 5. Se eu estivesse em seu lugar, procuraria outro emprego. 6. O que você faria se ganhasse na loteria? 7. Se o automóvel não tivesse sido inventado, nós ainda viajaríamos a cavalo? 8. O que teria acontecido se Filipe II tivesse conseguido conquistar a Inglaterra? 9. I used to live in Mexico when I was young. 10. I'm used to going to bed at ten o'clock.

Resultado: _____ %

passo 22 — LENDO EM INGLÊS

Some advice to help you when you read English.
Alguns conselhos para quando você ler em inglês.

Business letters are written
As cartas comerciais são escritas

in a very polite style
em um estilo muito cortês

with frequent use of the auxiliary verbs
com o uso freqüente dos verbos auxiliares

like "would, should, could, may and might",
como "seria, deveria, poderia, pôde e pudesse",

with indirect requests and suppositions.
usando pedidos indiretos e suposições.

Dear Sir:
Prezado Senhor:

We would be grateful
Ficaríamos gratos

if you could kindly send us
se pudesse fazer a gentileza de nos enviar

your latest catalog and price list.
o seu último catálogo e lista de preços.

We would appreciate your answering
Apreciaríamos uma resposta sua

as soon as possible
o mais breve possível

as we might be interested in placing
visto que poderíamos estar interessados em fazer

an important order with your company.
um pedido importante à sua empresa.

We thank you in advance.
Agradecemos antecipadamente.

Very truly yours,
Atenciosamente,

> ### *Correspondência de negócios*
> *Se a correspondência for endereçada à empresa, usa-se* Dear Sirs *ou* Gentlemen; *se for a uma pessoa, mas em estilo impessoal, usa-se* Dear Sir *ou* Dear Madam; *se o estilo for mais pessoal:*
>
> Dear Mr. — *(sobrenome)*
> Dear Mrs. — *(sobrenome)*
> Dear Miss — *(sobrenome)*
> Dear Ms. — *(sobrenome)*
>
> Ms. — *tratamento sem especificação do estado civil da mulher, muito usado hoje em dia.*

When reading newspapers
Ao ler jornais

you will notice that the headlines
você notará que as manchetes

are often brief and idiomatic.
são freqüentemente breves e com expressões idiomáticas.

For example, to understand
Por exemplo, para entender

1 REDSKINS MASSACRE COWBOYS
2 RACKET BOSS INDICTED
3 DOW JONES TAKES A DIVE

we must have a certain knowledge
precisamos ter um certo conhecimento

of daily life and local events.
da vida diária e dos acontecimentos locais.

> ***Expressões idiomáticas ou idiotismos***
> *1. Embora textualmente diga que os peles-vermelhas massacraram os vaqueiros, trata-se simplesmente da vitória de um time de futebol sobre outro.*
>
> *2. Não tem nada a ver com raquete de tênis.*
> Racket *é "procedimento criminoso",* boss *é "chefe" — neste contexto, de gangue — e* indicted *significa "indiciado".*
>
> *3. Não se trata de se afundar, mas de descer rapidamente, pois Dow Jones é o índice das principais ações de Wall Street, que às vezes baixam, às vezes sobem.*

There are some outstanding examples
Há exemplos notáveis

in classic English literature
na literatura clássica inglesa

that are familiar to almost all
que são conhecidos de quase todos

English-speaking persons
os falantes de língua inglesa

throughout the world.
de todo o mundo.

The following quotation
A seguinte citação

from the works of Shakespeare
das obras de Shakespeare

illustrates the indecision and doubt
ilustra a indecisão e dúvida

that afflict Hamlet:
que afligem Hamlet:

> "To be, or not to be,
> *"Ser ou não ser,*
>
> That is the question:
> *Eis a questão:*
>
> Whether 'tis nobler in the mind to suffer
> *Se é mais nobre ao espírito sofrer*
>
> The slings and arrows of outrageous fortune
> *As atiradeiras e flechas de um destino atroz*
>
> Or to take arms against a sea of troubles,
> *Ou tomar armas contra um mar de apuros*
>
> And by opposing end them?"
> *E opondo-se a eles dar-lhes fim?"*

One of the most famous quotations
Uma das mais famosas citações

of the English language
da língua inglesa

comes from a speech given
vem de um discurso pronunciado

by Abraham Lincoln at Gettysburg,
por Abraham Lincoln em Gettysburg,

site of the decisive battle
local da batalha decisiva

of the American Civil War.
da Guerra Civil americana.

The following excerpt illustrates
O exemplo seguinte ilustra

the simplicity, rhythm and power of his style.
a simplicidade, ritmo e força do seu estilo.

> "...that we highly resolve that these dead
> *"...que nós resolvamos com nobreza que estes mortos*
>
> shall not have died in vain;
> *não tenham morrido em vão;*
>
> that the nation shall, under God,
> *que esta nação tenha, sob Deus,*
>
> have a new birth of freedom;
> *um renascimento de liberdade;*
>
> and government of the people,
> *e que o governo do povo,*
>
> by the people, for the people
> *pelo povo, para o povo*
>
> shall not perish from the earth."
> *não desaparecerá da Terra."*

Everything that you read in English
Tudo o que você ler em inglês

will increase your knowledge
aumentará os seus conhecimentos

and, at the same time,
e, ao mesmo tempo,

will be a source of pleasure,
será uma fonte de prazer,

information or of amusement
de informação ou de diversão.

But the most important thing
Mas o mais importante

is to speak and listen to others speak
é falar e ouvir outros falarem,

because in order to speak a language well
pois para falar bem uma língua

it is most important to practice it
é importantíssimo praticá-la

at every opportunity.
em todas as oportunidades.

VOCÊ SABE MAIS INGLÊS DO QUE IMAGINA

Agora você está familiarizado com os elementos essenciais para se falar inglês. Sem dúvida, ao ler livros, revistas e jornais em inglês, você encontrará muitas palavras que não estão incluídas neste livro. Certamente, no entanto, terá muito mais facilidade para compreendê-las, pois o idioma de que elas fazem parte já não lhe é estranho.

Cerca de 40% das palavras do léxico inglês são de origem latina, portanto fáceis de serem identificadas por quem fala o português. Mas, cuidado, pois de modo geral elas diferem muito do português quanto à grafia e à pronúncia — e muitas vezes também quanto ao sentido.

Ao ler um texto em inglês ou ao ouvir o inglês no cinema, na televisão e em conversas, é evidente que você não poderá consultar o dicionário a cada palavra nova que aparecer, e nem é conveniente que o faça, pois senão será impossível aprender o sentido geral do que está sendo lido ou ouvido. Mas depois — e isso se aplica basicamente ao caso da leitura — é importante que você volte ao texto, consultando o dicionário para verificar a pronúncia e o sentido das palavras que não conhecia.

No entanto, não se esqueça de que as palavras não devem ser traduzidas isoladamente, pois seu significado depende do contexto em que estão inseridas. É importante você se habituar a utilizá-las sempre em frases e expressões. Leia textos em inglês, em voz alta, sempre que possível. Sugerimos que você grave sua leitura e vá comparando os resultados ao longo do tempo. Você conseguirá formar frases com desembaraço cada vez maior e ficará surpreso com o desenvolvimento de sua capacidade para se comunicar em inglês.

VOCABULÁRIO PORTUGUÊS-INGLÊS

Este vocabulário irá completar sua habilidade para o uso do inglês corrente. Inúmeras palavras que você encontrará nele não foram utilizadas ao longo do livro. É interessante notar que, na conversação diária em qualquer idioma, a maioria das pessoas usa menos do que 2.000 palavras. Neste vocabulário você encontrará mais de 2.600 palavras, selecionadas de acordo com a freqüência de sua utilização.

Observações:

1. Os substantivos aparecerão registrados no singular. Os plurais irregulares estarão indicados entre parênteses, ao lado da forma singular.

2. Só aparecerão os advérbios mais importantes. Lembre-se de que a maioria dos advérbios é formada pelo acréscimo de -*ly* ao adjetivo.

    Exemplo: Adjetivo: **correto**   correct
              Advérbio: **corretamente**   correctly

3. Ao lado do infinitivo dos verbos aparecerá, entre parênteses, a forma do passado e do particípio passado. Quando os dois tiverem formas diferentes, ambas estarão registradas. A primeira forma será a do passado e a segunda do particípio passado.

    Exemplo: **falar**   *(to)* speak *(spoke, spoken)*
              trazer *(to)* bring *(brought)*

4. Quando duas palavras ou expressões tiverem sentidos semelhantes e forem usadas com a mesma freqüência, ambas aparecerão, separadas por ponto-e-vírgula.

A

a, as *(artigo)* the
a, as *(pron.)* her, you, it
a menos que unless
a propósito by the way
a quem to whom
abacate avocado
abacaxi pineapple
aberto open
aborrecer, molestar *(to)* bother *(bothered); (to)* annoy *(annoyed)*
aborrecimento annoyance
abraçar *(to)* embrace *(embraced)*
abraço hug
abridor de latas can opener
abril April
abrir *(to)* open *(opened)*
absolutamente absolutely
acabar de *(to)* have just
acabar *(to)* finish *(finished)*
academia academy
ação action
aceitar *(to)* accept *(accepted)*
acelerador accelerator
acender *(to)* light *(lit); (to)* put on
acidente accident
ácido acid
acima above; up
acompanhar *(to)* accompany *(accompanied)*
acontecer *(to)* happen *(happened)*
acordado awake
acordar *(to)* wake *(woke, woken)*
acostumado a accustomed to
açúcar sugar
adeus, até logo goodbye
adiar *(to)* postpone *(postponed)*
adivinhar *(to)* guess *(guessed)*
adjetivo adjective
admiração admiration
admirar *(to)* admire *(admired)*
admitir *(to)* admit *(admitted)*
adormecido asleep
adulto adult
advérbio adverb
advertência warning
advogado lawyer
aeroporto airport
afeição affection
afetuoso affectionate
afortunado fortunate
africano African
agência agency
agenda notebook
agente agent
agora now
agosto August
agradar *(to)* please *(pleased)*
agradável agreable
agradecer *(to)* thank *(thanked)*
agradecido grateful
água water
agudo sharp

247

águia eagle
ainda still; yet *(ned.)*
ajudar *(to)* help *(helped)*
alarme alarm
alcançar *(to)* reach *(reached)*
álcool alcohol
alegre joyful
alegria joy
além disso besides
alemão German
alfabeto alphabet
alface lettuce
alfaiate tailor
alfinete pin
algo something; anything
algodão cotton
alguém somebody; anybody
algum any
ali there
alimento food
almirante admiral
almoço lunch
alto tall, high
Alto! Halt!
alugar *(to)* rent *(rented)*
aluno student
amar *(to)* love *(loved)*
amarelo yellow
amargo bitter
amável kind
ambos both
ambulância ambulance
ameixa plum
ameixa seca prune
amêndoa almond
amendoim peanut
ameno pleasant
americano American

amigo friend *(m. e f.)*
amizade friendship
amor love
amostra sample
andar *(to)* walk *(walked)*
anel ring
animal animal
aniversário birthday
ano year
ansioso anxious
antecipação anticipation
antecipadamente in advance
anterior former
antes before
antigo ancient
anúncio advertisement
ao ar livre outdoors
ao redor de around
ao lado de beside
aparecer *(to)* appear *(appeared)*
apartamento apartment
apertado tight
apetite appetite
apreciar *(to)* appreciate *(appreciated)*
aprender *(to)* learn *(learned)*
apresentar *(to)* present *(presented)*; *(to)* introduce *(introduced)*
apressar-se *(to)* hurry *(hurried)*
apropriado appropriate
aprovado approved
aprovar *(to)* approve *(approved)*
aproximadamente approximately
aquecer *(to)* heat *(heated)*
aquele that
aquele, aquela, aquilo that
aqueles those
aqueles, aquelas those

aqui here
ar air
árabe Arab; Arabic *(adj.)*
arame wire
aranha spider
arco arch
areia sand
argentino Argentine
armário embutido closet
arquiteto architec
arranhadura scratch
arranjar *(to)* arrange *(arranged)*; *(to)* manage *(managed)*
arredores surroundings
arroz rice
arte art
artificial artificial
artigo article
artista artist
árvore tree
às suas ordens at your service
às vezes sometimes
asa wing
aspargo asparagus
áspero rough
assado roast
assassinato murder
assassino murderer; killer
assegurar *(to)* insure *(insured)*; *(to)* assure *(assured)*
assento seat
assim thus; like this
assinalar *(to)* point out *(pointed)*
assinar *(to)* sign *(signed)*
assinatura signature
assistente assistant
assistir, dar assistência *(to)* assist *(assisted)*
associado associate

assustar *(to)* frighten *(frightened)*
até logo so long; good-bye
até until; up to; to
atenção attention
atencioso courteous; considerate
aterrissar *(to)* land *(landed)*
atirar *(to)* shoot *(shot)*
atirar *(to)* throw *(threw, thrown)*
atirar, dar tiro *(to)* shoot *(shot)*
ativo active
Atlântico Atlantic
ato act
atômico atomic
ator actor
atraente attractive
atrás behind
atrás de in back of
através de through; across
atravessar *(to)* cross *(crossed)*
atriz actress
atual present
ausente absent
australiano Australian
autêntico authentic
automóvel auto; car; automobile
autor author
autoridade authority
avançar *(to)* advance *(advanced)*
avenida avenue
aventura adventure
aviação aviation
avião plane, aeroplane
aviso notice
avó grandmother
avô grandfather
azedo sour
azeite oil
azeitona olive
azul blue

B

bacalhau codfish
bagagem baggage; luggage
baía bay
baile ball; dance
bairro district
baixo low, short
bala bullet
balança *(de playground)* swing
balança *(de pesar)* scale
balcão, terraço balcony
baleia whale
banana banana
banco bank
bandeira flag
bandido bandit, outlaw
banhar-se *(to)* bathe *(bathed)*
banheiro bathroom
banheiro público restroom
banho de chuveiro shower
banho bath
bar bar
baralho pack of cards
barata cockroach
barato inexpensive; cheap
barba beard
barbear-se *(to)* shave *(shaved)*
barbearia barber shop
barco a vapor steamship
barco boat
barganha bargain
barulhento noisy
base, fundo bottom
bastante enough
batalha battle
batata potato
batata-doce sweet potato
bater *(to)* hit *(hit)*

bateria battery
baú trunk
bêbado drunk
bebê baby
beber *(to)* drink *(drank, drunk)*
beijar *(to)* kiss *(kissed)*
beijo kiss
beleza beauty
bem well
bem-vindo welcome
beterraba beet, beetroot
biblioteca library
bicicleta bicycle
bife steak
bigode moustache
blusa blouse
boa-noite good evening; good night
boa-tarde good afternoon
bobo silly; fool; foolish
boca mouth
bola ball
boliviano Bolivian
bolo cake
bolsa handbag; bag; purse
bolsa bag, purse
bolso pocket
bom good
bom-dia good morning
bomba bomb; pump
bomba atômica atomic bomb
bombom bon-bon; candy
bondade kindness
bonde streetcar
boneca doll
bonita beautiful
bonito pretty; handsome; good-looking
borda edge
borracha rubber

bosque wood
botão button
branco white
brasileiro Brazilian
brincar *(to)* play *(played)*
brincos earrings
brinquedo toy
buraco hole

C

cabana hut
cabelo hair
caçar *(to)* hunt *(hunted)*
cachimbo pipe
cachorro dog
cada each; every
cada um each one
cadeira chair
café coffee
café da manhã *breakfast*
cair *(to)* fall *(fell, fallen)*
cais pier, docks
caixa *(pessoa)* cashier; teller
caixa box
caixa-forte strong room; safe
calça esporte pants
calçada sidewalk
calcinhas panties
calendário calendar
calma calm
Calma! Calm down!; Take it easy!
calor heat
cama bed
camareira chambermaid
camarote, cabine cabin; stateroom
câmbio exchange
camelo camel

caminhão truck
camisa shirt
camisola nightown
campainha bell
campo countryside; field; country
canadense Canadian
canal canal; channel
canção song
caneta pen
cano pipe
cansado tired
cantar *(to)* sing *(sang, sung)*
capa de chuva raincoat
capaz capable
capela chapel
capital capital
caranguejo crab
carburador carburetor
cardápio menu
cardinal cardinal
carga load; freight
carne meat
carne de boi beef
carne de carneiro mutton
carne de porco pork
carne de vaca beef
carne de vitela veal
carneiro sheep; lamb
caro *(ant. barato)* expensive
caro *(querido)* dear
carregador porter
carregar *(to)* load *(loaded)*; *(to)* carry *(carried)*
carta letter
cartão card
carteira wallet
carvão coal
casa house
casaco coat

casado married
casamento wedding
casar-se *(to)* get married
castelo castle
castigar *(to)* punish *(punished)*
catedral cathedral
católico catholic
cavalheiro gentleman
cavalo horse
cebola onion
cedo early
cem hundred
cenoura carrot
centavo cent
centro center
cerca de about; around
cérebro brain
certificado certificate
certo certain; right
cerveja beer
cesta basket
céu heaven; sky
chá tea
chamar *(to)* call *(called)*
chamar-se *(to)* be named
champanhe champagne
chão floor
chapéu hat
charuto cigar
chave key
chegada arrival
chegar *(to)* arrive *(arrived)*
cheio full
cheirar *(to)* smell *(smelled)*
cheque check
chileno Chilean
chinês Chinese
chocolate chocolate
chover *(to)* rain *(rained)*

chuva rain
chuveiro shower
cidadão citizen
ciência science
científico scientific
cientista scientist
cigarro cigarrette
cimo peak; top
cinco five
cinema movies; cinema
cinqüenta fifty
cinto belt
cinto de segurança safety-belt
cinza gray; grey
círculo circle
claro clear
coberto covered
cobertor blanket
cobra snake
cobre copper
coar *(to)* itch *(itched)*
coar-se *(to)* scratch *(scratched)*
coelho rabbit
cogumelo mushroom
coisa thing
colar necklace
colarinho collar
colégio high school
colher *(subst.)* spoon
colher de chá teaspoon
colina hill
colisão collision; shock
colombiano Colombian
com with
com fome hungry
com sede thirsty
comandante major
comandar *(to)* command *(commanded)*

começar *(to)* start *(started)*; *(to)* begin *(began, begun)*
comer *(to)* eat *(ate, eaten)*
comerciante tradesman
comida, alimento food
comigo with me
comissão, junta board; committee
como as; how; like
cômodo, quarto room
companheiro companion
companhia company
comparação comparison
compra purchase
comprar *(to)* buy *(bought)*
compreender *(to)* understand *(understood)*
comprido long
comprometido engaged
computador computer
comum common
comunicar *(to)* communicate *(communicated)*
comunista communist
concerto concert
concordado agreed
condição condition
condolências sympathies
conferência conference; lecture
confortável comfortable
conforto comfort
confuso confused
congelado frozen
congresso congress
conhecer *(to)* know *(knew, known)*
conhecido acquaintance
conseguir *(to)* get *(got, gotten)*
conselho advice
consertar *(to)* repair *(repaired)*; *(to)* fix *(fixed)*
conserto repair
considerar *(to)* consider *(considered)*
consigo with/himself; yourself; herself; oneself
constrangido embarrassed
construir *(to)* construct *(constructed)*
construir *(to)* build *(built)*
cônsul consul
consulado consulate
conta bill; check
contagioso contagious
contar *(verificar quantidade)* *(to)* count *(counted)*
contar *(narrar)*; *(to)* tell *(told)*
contente content
conter *(to)* contain *(contained)*
continente continent
continuar *(to)* continue *(continued)*; *(to)* go on
contra against
contrário contrary
conveniente convenient
conversação conversation
convidado guest
convidar *(to)* invite *(invited)*
convite invitation
cópia copy
copo glass
cor color
coração heart
corda string; rope
corpo body
corredor corridor
correio post office; mail
corrente de ar draft; current
correr *(to)* run *(ran, run)*

corretamente correctly
correto correct
corretor de imóveis state's agent
corrida race
cortar *(to)* cut *(cut)*
cortês courteous; polite
costa coast
costas back
costeleta chop
costume custom
costurar *(to)* sew *(sewed, sewn)*
couro leather
creme cream
crer *(to)* believe *(believed)*
criado servant
criança child
cristão Christian
cruz cross
cruzamento crossroads; intersection
cruzar *(to)* cross *(crossed)*
cubano *Cuban*
cuidado care
Cuidado! Look out!
Cuidado!, Atenção! Watch out!
cuidar *(to)* take care of
cujo whose
culpa fault
cumprimento compliment
curioso curious
curto short
custar *(to)* cost *(cost)*
custo cost

D

dançar *(to)* dance *(danced)*
danificado damaged
dano damage
dar *(to)* give *(gave, given)*
dar a volta *(to)* turn around *(turned)*
data date
datilógrafa typist
de of; from
de of the; from the
de fato, realmente indeed
de pé standing
de propósito on purpose
de qualquer modo anyway
de quem from whom
de repente suddenly
debaixo under
decepcionar *(to)* deceive *(deceived)*
decidir *(to)* decide *(decided)*
declarar *(to)* declare *(declared)*
dedo *(da mão)* finger
dedo *(do pé)* toe
deitar-se *(to)* go to bed
deixar *(to)* leave *(left)*
demais too; too much
dente tooth *(pl.* teeth)
dentista dentist
dentro inside
depois de after
depois, mais tarde afterwards; later
depositar *(to)* deposit *(deposited)*
Depressa! Hurry up!
desagradar *(to)* displease *(displeased)*
desagradável unpleasant
desapontamento disappointment
descansar *(to)* rest *(rested)*
descer *(to)* lower *(lowered)*; *(to)* go down
desconfortável unconfortable
desconto discount
descrever *(to)* describe *(described)*
descuido carelessness; oversight

desculpa apology, excuse
desculpar *(to)* excuse *(excused)*; *(to)* forgive *(forgave, forgiven)*
Desculpe-me! Excuse-me!
desde since
desejar *(to)* desire *(desired)*; *(to)* wish *(wished)*
desejo wish
desempregado unemployed
desenhar *(to)* draw *(drew, drawn)*
desenho drawing
desenvolver *(to)* develop *(developed)*
deserto desert
desfrutar *(to)* enjoy *(enjoyed)*
desgraça misfortune
desmaiar *(to)* faint *(fainted)*
despachar *(to)* ship *(shipped)*
despedir, dispensar *(to)* dismiss *(dismissed)*
despertador alarm clock
desvio detour
detalhe detail
Deus God
devagar slowly
dever *(to)* owe *(owed)*
devidamente properly; accordingly
dez ten
dezembro December
dezenove nineteen
dezoito eighteen
dia day
dia útil working day
diabo devil
diamante diamond
diário daily
dicionário dictionary
diferença difference
diferente different

difícil difficult
dimensão dimension
dinheiro money
dinheiro vivo cash; cold cash
diretamente directly
direto direct
diretor director; principal; headmaster
dirigir *(to)* drive *(drove, driven)*
disco record
discurso speech
disparate, absurdo nonsense; absurd
disponível available
disposto a willing to
disputar *(to)* dispute *(disputed)*
distância distance
distraído absent minded
ditado dictation
diversão amusement
divertido entertaining
divertir *(to)* amuse *(amused)*
divorciado divorced
dizer *(to)* say *(said)*
dobro double
doce sweet
documento document
doença illness; sickness
doente ill; sick
doer *(to)* hurt *(hurt)*
dois two
doloroso painful
domicílio residence
domingo Sunday
dono owner
dor ache; pain
dor *(pesar)* grief
dormir *(to)* sleep *(slept)*
dormitório bedroom

dose dose
doze twelve
droga drug
drogaria drugstore
durante during
durar *(to)* last *(lasted)*
duro stiff; hard
duzentos two hundred
dúzia dozen

E

e and
edifício building
educação education
educado polite; well-mannered
efeito effect
ela she
elástico elastic
ele he
elefante elephant
elegante elegant
eles, elas they
elétrico electric
elevador elevator
em in; at; into
em algum lugar somewhere
em cima on
em direção a toward(s)
em todo caso in any case
embaixada embassy
embaixador ambassador
embalagem packing
embarque shipment
embora though; although
embrulhar *(to)* wrap *(wrapped)*
emergência emergency

emoção emotion
empacotar *(to)* pack *(packed)*
empregada maid
empregado employee
emprego jog
empresa company
emprestar *(to)* lend *(lent)*
empurrar *(to)* push *(pushed)*
encantado delighted
encantador charming
encarregado person in charge
encontrar *(to)* meet *(met)*
encontro date; meeting
energia energy
enfermeira nurse
enganar *(to)* deceive *(deceived)*
engenheiro engineer
engordar *(to)* get fat
engordurar *(to)* grease *(greased)*
engraçado funny
enquanto while
enquanto isso meanwhile
ensaiar *(to)* rehearse *(rehearsed)*
ensinar *(to)* teach *(taught)*
então, depois then
enterro funeral; burial
entrada entrance
entrar *(to)* enter *(entered)*; *(to)* come in
entre *(em meio a)* among
entre *(dois)* between
Entre! Come in!
entregar *(to)* deliver *(delivered)*
entrevista interview
envergonhado ashamed
enviar *(to)* send *(sent)*
equador equator
equipamento equipment

errado mistaken; wrong
erro error
ervilha pea
escada *(de mão)* ladder
escadaria stairs
escasso scarce
escocês Scotch
escola school
escolha choice
escolher *(to)* choose *(chose, chosen)*
escorregadio slippery
escova brush
escova de dente toothbrush
escovar *(to)* brush *(brushed)*
escrever *(to)* write *(wrote, written)*
escritório office
escuro dark
escutar *(to)* listen *(listened)*
esferográfica ballpoint
esmeralda emerald
espaço space
espada sword
espanhol Spaniard; Spanish *(adj.)*
esparadrapo adhesive tape
especial special
especialidade speciality
espelho mirror
esperança hope
esperar, aguardar *(to)* wait for *(waited)*
esperar, ter esperança *(to)* hope *(hoped)*
espesso thick
espetáculo show; spectacle
espeto stick
espinafre spinach
espinha spine
espinho thorn
esplêndido splendid

esporte sport
esposa wife
esquecer *(to)* forget *(forgot, forgotten)*
esquerdo left
esquina corner
está bem all right
estação *(de trem)* station
estação *(do ano)* season
estacionamento parking lot
estacionar *(to)* park *(parked)*
estado state
estar *(to)* be *(was/were, been)*
estátua statue
este, esta, isto this
estes, estas these
estilo style
estômago stomach
estrada road
estrada de ferro railroad
estrangeiro foreign; foreigner
estranho strange; stranger
estreito narrow
estrela star
estrutura frame
estudar *(to)* study *(studied)*
eu I
europeu European
evidente evident
evitar *(to)* avoid *(avoided)*
exame examination
examinar *(to)* examine *(examined)*
exato exact
excelente excellent
exceto except
excursão excursion
exemplo example
exercício exercise
exército army

êxito success
explicar *(to)* explain *(explained)*
exportar *(to)* export *(exported)*
exposição exhibition; fair
expresso express
extra extra

F

fã fan
fábrica plant; factory
fabricado, manufaturado manufactured
faca knife
fácil easy; simple
facilmente easily
falar *(to)* talk *(talked)*; *(to)* speak *(spoke, spoken)*
falso false
faltar *(to)* lack *(lacked)*
família family
familiar familiar
fantasma ghost
farmácia pharmacy
favor favor
favorito favorite
fazenda farm
fazendeiro farmer
fazer *(to)* do *(did, done)*; *(to)* make *(made)*
febre fever; temperature
fechado closed; shut
fechar *(to)* close *(closed)*; *(to)* shut *(shut)*
feijão bean
feio ugly
feito a mão hand made
felicitações congratulations

felicitar *(to)* congratule *(congratulated)*
feliz happy
felizmente fortunately
feriado holiday
férias vacation; holiday
ferida wound; cut
ferro iron
ferver *(to)* boil *(boiled)*
festa party; feast
fevereiro February
ficar *(to)* stay *(stayed)*; *(to)* be *(was/were, been)*
ficar de pé *(to)* stand *(stood)*
fígado liver
filha daughter
filho son
filme film; movie
fim end
final final
firma firm; company
fita ribbon
fita adesiva celophane tape
fixo fixed
flor flower
floresta forest
fofoca gossip
fogo fire
folha leaf
folha de papel sheet
fome hunger
fonte fountain
fora outside
força power
forma form
formal formal
fórmula formula
forno oven
forte strong

fósforo match
fotografia photo; photograph
fotógrafo photographer
fraco weak
francês French; Frenchman
franco frank
frango chicken
frasco, vidro bottle
frase sentence
frente front
freqüentemente frequently
fresco fresh
frio cold
frito fried
fronteira border
fruit fruta, fruto
fumaça smoke
fumar *(to)* smoke *(smoked)*
função function; performance
funcionar *(to)* function *(functioned)*; *(to)* work *(worked)*
funcionário público civil servant
furacão hurricane
futuro future

G

gado cattle
ganhar, vencer *(to)* win *(won)*
garagem garage
garantido guaranteed
garçom waiter
garçonete waitress
garfo fork
garra claw
garrafa bottle
gás gas
gasolina gasoline, gas

gastar *(to)* spend *(spent)*
gastos expenses
gato cat
gaveta drawer
geladeira refrigerator
gelo ice
general general
generoso generous
gente people
geografia geography
geral general
geralmente generally; usually
gerente manager
ginásio gymnasium
golfe golf
goma de mascar chewing gum
gordo fat
gordura grease
gorjeta tip
gostar *(to)* like *(liked)*
gota drop
governo government
grama, capim grass
grande large; big; great
grau grade
gravador tape recorder
gravata tie
gravata-borboleta necktie
grego Greek
gritar *(to)* shout *(shouted)*
grito shout
grosseiro rude
guarda-roupa wardrobe
guardanapo napkin
guardar *(to)* keep *(kept)*
guerra war
guia guide

H

há there is; there was
habitante inhabitant
haitiano Haitian
haver there *(to)* be
havia there was; there were
história story; history
hoje today
holandês Dutch *(adj.)*; Dutchman *(subst.)*
homem man
homem de negócios businessman
hondurenho Honduran
honesto honest
honra honor
hora hour
hora marcada appointment
horário schedule; timetable
hospital hospital
hotel hotel
humano human
húngaro Hungarian

I

iate yacht
ida e volta a round trip
idade age
idéia idea
idêntico identical
identificação identification
idioma language
idiota idiot
igreja church
igual equal
ilegal illegal
ilustração illustration
imaginação imagination
imediatamente right away; immediately
imigração immigration
imigrante immigrant
imitação imitation
impedir *(to)* prevent *(prevented)*
importado imported
importante important
importar *(to)* import *(imported)*
importar, ter importância *(to)* matter *(mattered)*
impossível impossible
imposto tax
incidente incident
incluído included
incluir *(to)* include *(included)*
incompleto incomplete
inconveniente inconvenient
independência independence
independente independent
indicar *(to)* indicate *(indicated)*
indigestão indigestion
índio Indian
indivíduo individual
indústria industry
infecção infection
infeliz unfortunate
inferno hell
informação information
inglês English
ingresso *(bilhete)* ticket
inimigo enemy
injeção injection
injusto unfair
inocente innocent
inseto insect
insistir *(to)* insist *(insisted)*

inspecionar *(to)* inspect *(inspected)*
inspetor inspector
instante instant
instituição institution
instrução instruction
instrutor instructor
inteiramente entirely
inteiro entire; whole
inteligente intelligent
intenção intention
interessante interesting
interior inland
interior, interno interior
internacional international
interpretar *(to)* interpret *(interprete)*
intérprete interpreter
intervalo intermission; interval
intestinos intestines; bowels
introdução introduction
inundação flood
inútil useless
inverno winter
inverter *(to)* overturn *(overturned)*
investigar *(to)* examine *(examined)*, *(to)* investigate *(investigated)*
iodo iodine
ir *(to)* go *(went, gone)*
ir-se *(to)* go away
irlandês Irish
irmã sister
irmão brother
israelita Israeli
italiano Italian

J

já already
janeiro January
janela window
jantar *(to)* have dinner
jantar *(subst.)* dinner
japonês Japanese
jardim garden
jarro jar
joelho knee
jogador player
jogar *(brincar)* *(to)* play *(played)*
jogar, lançar *(to)* throw *(threw, thrown)*
jogo game
jóia jewel
jornal newspaper
jovem young
judeu Jewish; Jew *(subst.)*
juiz judge
julho July
junho June
junto near; close
juntos together; joined
jurado jury
jurar *(to)* swear *(swore, sworn)*
justiça justice
justo just, fair
juventude yoouth

L

lã wool
lábio lip
lado side
ladrão thief
lago lake
lagosta lobster
lamentar *(to)* regret *(regretted)*
lâmpada lamp

lâmpada electric bulb
lançar, jogar *(to)* throw *(threw, thrown)*
lanterna lantern; flashlight
lápis pencil
lar home
laranja orange
largo wide
lata can; tin
latino Latin
latino-americano Latin-American
lavanderia laundromat; launderette; laundry
lavar *(to)* wash *(washed)*
lavar-se *(to)* wash oneself
leão lion
legumes vegetables
lei law
leite milk
lenço handkerchief
lenço de cabeça headscarf
lenço de pescoço scarf
lençol sheet
lento, vagaroso slow
ler *(to)* read *(read)*
leste east
letra letter
letreiro sign
levantar, erguer *(to)* lift *(lifted); (to)* raise *(raised)*
levantar-se *(to)* get up
levar *(to)* take *(took, taken)*
leve quick
levemente lightly
lhes them, to them, you, to you
liberal liberal
liberdade liberty; freedom
libra pound
lição lesson

licença license
ligeiramente quickly
ligeiro quick
limão lemon
limite limit
limonada lemonade
limpar *(to)* clean *(cleaned)*
limpo clean
lindo beautiful; lovely; pretty
língua tongue
língua, idioma language
linha line; thread
linho *linen*
liso smooth
lista list
litoral seaside
livre free
livro book
lixo garbage
lobo wolf
local local
localizado located
locomotiva locomotive
locutor speaker
lógico, claro of course
logo soon
loiro blond
loja shop; store
longe far away; far
lua moon
lua-de-mel honeymoon
lubrificar *(to)* lubrificate *(lubrificated)*
lucro profit
lugar place
luta struggle; fight
lutar *(to)* struggle *(struggled); (to)* wrestle *(wrestled)*

luva glove
luxuoso luxurious
luz light

M

maçã apple
macaco monkey
macio soft
madeira wood
madrasta stepmother
madrinha godmother
mãe mother
magnífico magnificent
magro thin
maiô bathing suit; bikini
maio May
maior de idade of age
maioria majority
mais more
mais velho elder; older
mais ou menos more or less; so so
mal evil; badly
mal-entendido misunderstanding
mancha stain
mandar *(to)* send *(sent)*
maneira manner; way
manga *(de roupa)* sleeve
manga *(fruta)* mango
manicure manicure
manteiga butter
mão hand
mapa map
máquina de costura sewing machine
máquina machine
máquina de escrever typewriter

mar sea
maravilhoso marvellous; wonderful
marca mark; brand
marchar *(to)* march *(marched)*
março March
mareado seasick
marido husband
marinha navy
marinheiro sailor
marrom brown
martelo hammer
mas but
massas pastry
matar *(to)* kill *(killed)*
matéria material
mau bad
me me; to me
mecânico mechanic
medalha medal
média average
medicina medicine
médico doctor
medida measure, size
medo fear
meia sock; stocking
meia-noite midnight
meio, metade half; middle
meio-caminho halfway
meio-dia midday, noon
mel honey
melão melon
melhor better
melhorar *(to)* improve *(improved)*
membro member
memória memory
menina girl
menino boy

menos less
mensageiro messager
mensagem message
mensalmente monthy
mente mind
mentira lie, untruth
mercado market
mercadoria merchandise
mercadorias merchandises; goods
mês month
mesa table
mesclado, misturado mixed
mesmo same
metade half
metal metal
metrô subway
meu(s), minha(s) *(adj.)* my
meu, minha, meus, minhas my
mexicano Mexican
mil thousand
milha mile
milhão million
milho corn
militar military; soldier
mina mine
mineral mineral
ministro minister
minuto minute
missa Mass
misterioso mysterious
moça young woman
moda fashion
modelo model
moderno modern
modesto modest
modista, costureira dressmaker
molhado, úmido wet
molho sauce
momento moment

monótono boring
montanha mountain
monumento monument
morango strawberry
morrer *(to)* die *(died)*
morto dead
mosca fly
mosquito mosquito
mostarda mustard
mostrar *(to)* show *(showed, shown)*
motor motor
motorista chauffeur
móveis, mobília furniture
mover, mudar *(to)* move *(moved)*
muitíssimo very much
muito much; very
muito bem very well
muito tempo a long time
muitos, muitas many
mulher woman (*pl.* women)
mundo world
muro wall
músculo muscle
música music
músico musician

N

na frente in front of
nação nation
nacional national
nacionalidade nationality
Nações Unidas United Nations
nada nothing
nadar *(to)* swim *(swam, swum)*
não no; not
nariz nose
nascer *(to)* be born

nascido born
Natal Christmas
nativo native
natural natural
naturalizado naturalized
naturalmente naturally
natureza nature
navegar, velejar *(to)* sail *(sailed)*
neblina fog
necessário necessary
necessitar, precisar *(to)* need *(needed)*
negar *(to)* deny *(denied)*
negócio business; trade
nem nor; neither
nem, tampouco neither; nor
nenhum none; not any
nervo nerve
nervoso nervous
neta granddaughter
neto grandson
nevada snowstorm
nevar *(to)* snow *(snowed)*
neve snow
nicaragüense Nicaraguan
ninguém nobody
no entanto nevertheless
noite night
noiva fiancée; bride
noivo fiancé; bridegroom
nome name
norte north
norueguês Norwegian
nos us; to us
nós we
nosso(s), nossa(s) *(adj.)* our
notar *(to)* notice *(noticed)*
notícias news
notificar *(to)* notify *(notified)*

nove nine
novecentos nine hundred
novela novel; soap opera (TV)
novembro November
noventa ninety
novidade novelty; new
noz nut
nu bare; naked
número number
nunca never
nuvem cloud

O

o *(artigo)* the
o *(pron.)* him
o mais the most
o melhor the best
o meu, a minha, mine
o mínimo the least
o pior the worst
o(s) meu(s), a(s) minha(s) *(pron.)* mine
o(s) nosso(s), a(s) nossa(s) *(pron.)* ours
o(s) seu(s), a(s) sua(s) *(pron., 3.ª p. sing)* his *(m)*, hers *(f)*
o(s) seu(s), a(s) sua(s) *(pron., 3.ª p. sing. e pl.)* yours
o(s) seu(s), a(s) sua(s) *(pron., 3.ª p. pl.)* theirs
objeto object
obra work; labor
obra-prima masterpiece
obrigado obliged
Obrigado! Thanks!; Thank you!; Many thanks!

observar *(to)* observe *(observed)*
observar *(to)* watch *(watched)*
obter *(to)* obtain *(obtained)*; *(to)* get *(got)*
óbvio obvious
ocasião occasion
oceano ocian
oculista optician; eye doctor
óculos glasses
ocupação occupation
ocupado occupied; busy
odiar *(to)* hate *(hated)*
oeste west
oferecer *(to)* offer *(offered)*
oficial officer; official
oficina workshop
oitenta eighty
oito eight
oitocentos eight hundred
olá hello!
olho eye
ombro shoulder
omelete omelet
onça *(28,35 gramas)* ounce
onda wave
onde quer que wherever
onde where
ônibus bus
ônibus de turismo coach
ontem yesterday
onze eleven
ópera opera
operação operation
opinião opinion
oposto opposite
oração prayer
ordem order
ordinário, comum ordinary
órgão organ

orgulhoso proud
original original
orquestra orchestra
orquídea orchid
osso bone
ostra oyster
ou or; either
ouro gold
outono autumn; fall
outro other
outubro October
ouvido, orelha ear
ouvir *(to)* hear *(heard)*
ovo egg

P

paciência patience
paciente patient
pacífico pacific; peaceful
pacote package
padre priest
pãezinhos rolls
pagamento payment
pagar *(to)* pay *(paid)*
página page
pago paid
pai father
país country
pais parents
palácio palace
palavra word
palha straw
pálido pale
palmeira palm tree
panamenho Panamanian

pano de prato dish-cloth; teacloth
pão bread
papa pope
papagaio parrot
papel paper
par pair
para for; in order to; to
parada stop
parado stopped; standing (up)
paraguaio Paraguayan
paralelo parallel
parar, deter *(to)* stop *(stopped)*
pardo brown, brownish
parecer *(to)* seem *(seemed)*
parecido like; alike
parede wall
parente relative
parque park
parte part
particular particular
partida departure
partir, ir embora *(to)* leave *(left)*
passeio walk; ride
passado past
passageiro passenger
passagem passage
passaporte passport
passar *(to)* pass *(passed)*
passar a ferro *(to)* iron *(ironed)*; *(to)* press *(pressed)*
pássaro bird
passo step
pasta de dente toothpaste
patife scoundrel
pato duck
pavão peacock
paz peace
pé foot

peça de teatro play
peculiar peculiar
pedaço piece
pedir *(to)* ask for *(asked)*
pedra stone
pegar *(to)* catch *(caught)*
pegar, apanhar *(to)* pick up *(picked)*
peito breast; chest
peixe fish
pele skin; fur
pelo menos at least
pensamento thought
pensão boarding house; lodgings
pensar *(to)* think *(thought)*
pente comb
pentear *(to)* comb *(combed)*
pequeno small; little
pera pear
perceber *(to)* realize *(realized)*
perdão pardon
perder *(to)* lose *(lost)*
perdoar *(to)* forgive *(forgave, forgiven)*
perfeito perfect
perfume perfume
pergunta question
perguntar *(to)* ask *(asked)*
perigo danger
perigoso dangerous
período period
permanecer *(to)* remain *(remained)*
permanente permanent
permissão permission
permitir *(to)* permit *(permitted)*; *(to)* allow *(allowed)*
perna leg
pérola pearl

persa Persian
pertencer *(to)* belong *(belonged)*
perto close; near
peru turkey
peruano Peruvian
pesado heavy
pesar *(to)* weigh *(weighed)*
pesca fishing
pescar *(to)* fish *(fished)*
pescoço neck
peso weight
pêssego peach
pessoa person
pessoal personal
piada joke
piano piano
picada sting
pijama pajamas
pilha battery
piloto pilot
pílula pill
pimenta pepper
pimentão sweet pepper; red pepper
pintado painted
pintar *(to)* paint *(painted)*
pintor painter
pintura paint; painting
pior worse
piscina pool
pistola pistol
placa *(de carro)* licence plate
planeta planet
plano *(subst.)* plan
plano flat
plástico plastic
pneu tire
pó powder
pobre poor

poço well
poeira dust
poesia, poema poem
polícia police
policial policeman *(m)*; policewoman *(f)*
político politician; political
pomba dove; pidgeon
ponte bridge
ponto point
ponto final full stop
população population
popular popular
por for; by
por favor please
por isso therefore
por que why
pôr, colocar *(to)* put *(put)*
porco pig
porque because
porta door
porteiro doorman
porto port; harbor
português Portuguese
posição position
positivo positive
possível possible
possivelmente possibly
posto position
pouco little
poucos few
povo people
praça square
praia beach; shore
prática practice
prático practical
prato dish; plate
prazer pleasure

prazo delay
precioso precious
preço price
preencher *(to)* fill *(filled)*
prefeito mayor
preferir *(to)* prefer *(prefered)*
preferível preferable
preguiçoso lazy
prêmio prize
prender *(to)* arrest *(arrested)*
preocupado worried; preocupied
preparar *(to)* prepare *(prepared)*
presente present; gift
preso prisoner
pressa hurry
presunto ham
preto black
prevenir *(to)* warn *(warned)*
prévio previous
primavera spring; springtime
primeiro first
princesa princess
principal principal
príncipe prince
princípio start; beginning
prisão jail
privado private
problema problem
processo *(legal)* deed
procurar *(to)* look for
produção production
produzir *(to)* produce *(produced)*
professor teacher; professor
professor(a) teacher
profissão profession
profundo deep
programa program
proibido prohibited; forbidden
projeto, design design

promessa promise
pronto ready
pronúncia pronunciation
pronunciar *(to)* pronounce *(pronounced)*
propaganda advertising; propaganda
propósito purpose
propriedade property
próspero prosperous
proteção protection
protestante Protestant
prova, teste proof; test
provar, experimentar *(to)* try *(tried)*
provavelmente probably
província province
provisões provisions
próximo next
publicar *(to)* publish *(published)*
público public
pulmão lung
pulover sweater
pulseira bracelet
pulso wrist
punição punishment
puro pure
Puxa! Good Heavens!
puxar *(to)* pull *(pulled)*

Q

Qual? Which?
qualidade quality
qualquer um anyone
quando when
quantidade quantity
quanto how much
quantos how many

quarenta forty
quarta-feira Wednesday
quarteirão block
quarto room; bedroom
quarto *(num.)* fourth
quase almost; nearly
quatorze fourteen
quatrocentos four hundred
que that; which
Que pena! What a pity!
quebrado out of order
quebrar *(to)* break *(broke, broken)*
queda fall
queijo cheese
queimar *(to)* burn *(burnt)*
quem who
quente hot, warm
querer *(to)* want *(wanted)*
querido darling; beloved
quilo kilogram
quilômetro kilometer
química chemistry
quinhentos five hundred
quinta-feira Thursday
quinto fifth
quinze fifteen

R

rã frog
rabanete radish
rabo tail
radiador radiator
rádio radio
rainha queen
raio-x X-ray
rapaz young man
rapidamente quickly; rapidly
rápido fast; quick; rapid
raposa fox (*fem.* vixen)
raquete racket
raro rare; unusual
ratazana rat
rato mouse
razão reason
razoável reasonable
real, régio royal
real, verdadeiro real
realidade reality
realmente really
recado message
receber *(to)* receive *(received)*
receita culinária recipe
receita médica prescription
recente recent
recentemente recently
recibo receipt
recomendado recommended
recomendar *(to)* recommend *(recommended)*
recompensar *(to)* reward *(rewarded)*
reconhecer *(to)* recognize *(recognized)*
recordação memory; souvenir
recordar *(to)* remember *(remembered)*; *(to)* recall *(recalled)*
recuperar *(to)* recover *(recovered)*; *(to)* regain *(regained)*
recusar *(to)* refuse *(refused)*
redondo round
redução reduction
reembolso refund
refinaria refinery
região region
registrar *(to)* register *(registered)*; *(to)* record *(recorded)*

regra rule; regulation
regressar *(to)* return *(returned)*
regular regular
rei king
religião religion
relógio clock
relógio *(de pulso)* watch
remédio remedy; medicine
remover, tirar *(to)* remove *(removed)*; *(to)* take off *(took, taken)*
renda lace
renda, rendimento income
repetir *(to)* repeat *(repeated)*
repórter reporter
representante representative
representar *(to)* represente *(represented)*; *(to)* perform *(performed)*
república republic
republicano republican
reserva reservation
reservar *(to)* book *(booked)*, *(to)* reserv *(reserved)*
resfriado cold
residência residence
residente resident, tenant
respeito respect
respiração, hálito breath
respirar *(to)* breathe *(breathed)*
responder *(to)* respond *(responded)*; *(to)* answer *(answered)*; *(to)* reply *(replied)*
responsável responsable
resposta reply; answer
restaurante restaurant
resultado result
reto straight
retrato picture; photo
reunião meeting
revelar, mostrar *(to)* reveal *(revealed)*

revelar *(fotos) (to)* develop *(developed)*
revisão review; revision
revisar *(to)* check *(checked)*
revista magazine; review
revolução revolution
revólver gun
rezar *(to)* pray *(prayed)*
rico rich
rifle rifle
rim kidney
rio river
rir *(to)* laugh *(laughed)*
riso laugh
rocha rock
roda wheel
rodovia highway
romântico romantic
rosa rose; pink
rosto face
roubar *(to)* rob *(robed)*; *(to)* steal *(stole, stolen)*
roupa de baixo underwear
roupa branca linen
roupa, vestuário clothing
roxo purple
rua street
rubi ruby
ruína ruin
rum rum
russo Russian

S

sábado Saturday
sabão, sabonete soap
saber *(to)* know *(knew, known)*
sábio wise
sabor flavor

saboroso delicious
saco sack; bag
safira sapphire
saia skirt
saída departure
sair *(to)* go out
sala de estar living room
sala de jantar dining room
salada salad
salão salon
salsicha susage
saltar *(to)* jump *(jumped)*
salto heel
salvar *(to)* save *(saved)*; *(to)* rescue *(rescued)*
sangue blood
santo saint; holy
sapateiro shoemaker; cobler
sapato shoe
sarcástico sarcastic
satisfatório satisfactory
saudações regards; greetings
saudável healthy
saúde health
se if; whether
seco dry
secretário secretary
secreto secret
sede thirst
seguinte following; next
seguir *(to)* follow *(followed)*
segunda-feira Monday
segundo second
seguro safe; sure
seguro *(subst.)* insurance
seis six
selo stamp
selva jungle
selvagem savage; wild

sem without
semana week
semelhante similar
sempre always
senhora lady
sentado seated
sentar-se *(to)* sit; *(to)* sit down *(sat, sitten)*;
sentido sense
sentimento feeling
sentir *(to)* feel *(felt)*
separar *(to)* separate *(separated)*
ser *(to)* be *(was/were, been)*
série series
sério serious
serviço service
servir *(to)* serve *(served)*
sessenta sixty
sesta, soneca nap
sete seven
setembro September
setenta seventy
seu(s), sua(s) *(adj., 2.ª p. sing. e pl.)* your
seu(s), sua(s) *(adj., 3.ª p. pl.)* their
seu(s), sua(s) *(adj., 3.ª p. sing.)* his *(m)*, her *(f)*
severo severe
sexo sex
sexta-feira Friday
significar *(to)* mean *(meant)*; *(to)* signify *(signified)*
silêncio silence
silencioso silent
sim yes
simpatia kindness; friendship
simpático friendly; nice
simplesmente simply

sinceramente sincerely
situação situation
sobre on; above; about
sobremesa dessert
sobrenome last name; name
sobrinha neice
sobrinho nephew
social social
sócio partner; member
soco blow
socorro help
soda soda
sogra mother-in-law
sogro father-in-law
sol sun
soldado soldier
sólido solid
soltar *(to)* unfasten *(unfastened)*
solteiro single
solto loose
somar, adicionar *(to)* add *(added)*
sombra shade
somente only; just
son sound
sonho dream
sono sleep
sonolento sleepy
sopa soup
sorriso smile
sorte luck; good fortune
sorvete ice cream
sotaque accent
sozinho alone; lonely
subir *(to)* go up *(went, gone)*; *(to)* climb *(climbed)*
subitamente all of a sudden; suddenly
suco juice
sueco Swedish

suficiente enough
suficiente sufficient
suíço Swiss
sujo dirty
sul south
suor perspiration; sweat
superior superior; upper
suposto supposed
sutiã brassière

T

tabaco, fumo tobacco
tal such
talvez perhaps; maybe
tamanho size
também also; too
tambor drum
tanque tank
tanto quanto as much as
tanto so much
tantos quantos as many as
tão so
tapete rug
tarde afternoon; late
tarifa fare; tariff
tato touch; tact
taxa rate
taxa postal postage
táxi taxi
te, ti you
teatro theather
telefonar *(to)* call *(called)*; *(to)* ring *(rang, rung)*
telefone telephone
telefonema call
telefonista operator
telegrama telegram

televisão television
telhado roof
tema subject; theme
temer *(to)* fear *(feared)*
tempo time
tempo, clima weather
temporada season
temporário temporary
tenda tent
tenente lieutenant
tênis tennis
tentar *(to)* try *(tried)*
ter *(to)* have *(had)*
ter medo *(to)* be afraid of
ter razão to be right
terça-feira Tuesday
terceiro third
terminar *(to)* finish *(finished)*
termômetro thermometer
terra land; earth
terrível terrible
tesoura scissors
testa forehead
teto ceiling
tia aunt
tigre tiger
tímido timid; shy
tingido dyed
tinta ink
tinturaria cleaner's; dry cleaner's
tio uncle
tipo type
tirar uma soneca *(to)* take a nap
tirar uma foto *(to)* take a photo
tirar *(to)* take out
toalha de mesa tablecloth
toca-discos record player
todo all; ever
todo o mundo everybody
tomar *(to)* take *(took, taken)*

tomate tomato
torcedor supporter
tornar-se *(to)* become *(became, become)*
torrada toast
torta pie
tosse cough
total total
tourada bullfight
touro bull
trabalhador worker
trabalhar *(to)* work *(worked)*
trabalho work; job
tradução translation
traduzir *(to)* translate *(translated)*
tranqüilo quiet; still
transferir *(to)* transfer *(transferred)*
travesseiro pillow
trazer *(to)* bring *(brought)*
trem train
três three
treze thirteen
tribunal court
trinta thirty
triste sad
troca change
troca, troco change
trocar *(to)* change *(changed)*
tropical tropical
truque, peça trick
tubarão shark
tumba tomb
túnel tunnel
turco Turkish; Turk *(subst.)*

U

último last
um grande prazer a great please

um outro another
um, uma a; an
unha nail
união union
unido united
uniforme uniform
universidade university
urgente urgent
urso bear
uruguaio Uruguayan
usar *(to)* use *(used)*
uso use
usual usual
usualmente usually
útil useful
uva grape
uva passa raisin

V

vaca cow
vacina vaccination
vagão railroad car; wagon
vagem string beans
vago vague; vacant
valente brave; valiant
valer *(to)* be worth
valioso valuable
valor value; bravery
vapor steam
variedade variety
vários various; several
varrer *(to)* sweep *(swept)*
vaso sanitário toilet
vaso vase
vazamento leak
vazio empty
veado deer

vela candle
velho old; ancient
velocidade velocity; speed
veludo velvet
venda sale
vendedor salesman
vendedora saleswoman
vender *(to)* sell *(sold)*
veneno poison
venezuelano Venezuelan
ventilador fan
vento wind
verão summer
verbo verb
verdade truth
verdadeiramente realy; trully
verdadeiro true; real
verde green
vergonha shame
verificar *(to)* check *(checked)*; *(to)* find out
vermelho red
vestido dress
vestir *(to)* put on; *(to)* dress *(dressed)*
vestir *(to)* wear *(wore, worn)*
vez turn
viagem trip
viajante traveler
viajar *(to)* travel *(traveled)*
vida life
vidro glass
vinagre vinegar
vinho wine
vinho branco white wine
vinho tinto red wine
vinte twenty
violão, guitarra guitar
violeta violet
violino violin

vir *(to)* come *(came, come)*
visita visit
visitar *(to)* visit *(visited)*, *(to)* call
visível visible
vista view
visto que since
vitela veal
viúva widow
viúvo widower
viver *(to)* live *(lived)*
vivo alive
vizinhança neighborhood
vizinho neighbour
voar *(to)* fly *(flew, flown)*
você, vocês you
volante *(de veículo)* steering wheel
volta return
voltar *(to)* return *(returned)*; *(to)* come back *(came, come)*
vôo flight
votar *(to)* vote *(voted)*
voz voice
vulcão volcano

X

xadrez chess
xícara cup

Z

zangado angry
zero zero
zoológico zoo